Richa

M.

D0795113

NOTE DE L'ÉDITEUR

Les volumes de la collection sont imprimés en très grande série.

Un incident technique peut se produire en cours de fabrication et il est possible qu'un livre souffre d'une imperfection qui a pu échapper aux services de contrôle.

Dans ce cas, il ne faut pas hésiter à nous le renvoyer. Il sera immédiatement échangé.

Les frais de port seront remboursés.

LA PLUME
EMPOISONNÉE

DANS CETTE COLLECTION
paraissent les romans
des meilleurs auteurs français et étrangers :

EXBRAYAT
RAY LASUYE
FRANCIS DIDELOT
GEORGE BELLAIRS
JOHN CASSELLS
FRANCIS DURBRIDGE
R. L. GOLDMAN
MICHAEL HALLIDAY
RUFUS KING
MICHAEL LOGGAN
E. C. R. LORAC
STEPHEN RANSOME
COLIN ROBERTSON
DOROTHY SAYERS
PATRICIA WENTWORTH
JOHN STEPHEN STRANGE
etc...

ENVOI DU CATALOGUE COMPLET SUR DEMANDE

AGATHA CHRISTIE

LA PLUME EMPOISONNÉE

(The Moving Finger)

Traduit de l'anglais par Michel LE HOUBIE

PARIS
LIBRAIRIE DES CHAMPS-ÉLYSÉES
17, RUE DE MARIGNAN, 17

© AGATHA CHRISTIE, LIBRAIRIE DES CHAMPS ÉLYSÉES, 1967.

*Tous droits de traduction, reproduction, adaptation, représentation
réservés pour tous pays y compris l'U. R. S. S.*

CHAPITRE PREMIER

I

Mon plâtre enlevé, après que les médecins m'eurent tiré sur les os autant que le cœur leur disait, après que les infirmières, me parlant comme à un enfant, m'eurent adjuré de me servir de mes jambes avec circonspection, Marcus Kent me déclara que je devais aller vivre à la campagne.

— De l'air pur, me dit-il, une vie calme et du repos, voilà ce qu'il vous faut ! Votre sœur s'occupera de vous. Mangez, dormez et tâchez de mener autant que possible l'existence d'un végétal !

Je ne lui demandai pas si je pourrais jamais voler de nouveau, parce qu'il y a des questions qu'on ne pose pas, dans la crainte d'entendre la réponse. Pas plus que depuis cinq mois je ne lui avais demandé si j'étais condamné à rester étendu sur le dos jusqu'à la fin de mes jours. Je redoutais bien trop les assurances hypocrites que l'infirmière n'eût pas manqué de me donner. « A-t-on idée de poser des questions pareilles ? Nous ne pouvons pas laisser nos malades parler comme ça ! »

Je n'avais donc rien demandé et les choses ne

s'étaient pas tellement mal arrangées. Je n'étais
pas destiné à rester un malheureux invalide. Je
pouvais bouger mes jambes, me tenir debout et
même faire quelques pas. Certes, je vacillais un peu
comme un bébé qui apprend à marcher, j'avais les
jambes en coton, mais ce n'était là que des signes
de faiblesse appelés à disparaître rapidement.

Marcus Kent, qui est un médecin selon mon
cœur, répondit à cette question que je n'avais pas
osé poser.

— Vous vous rétablirez complètement, me dit-il.
Je n'en étais pas sûr jusqu'à ces jours derniers,
mais l'examen auquel nous avons procédé mardi
m'autorise à vous donner aujourd'hui cette certitude. Ce sera long. Il vous faudra de la patience
et de la volonté. N'essayez pas de brûler les étapes,
ce serait le meilleur moyen de vous retrouver allongé dans un lit de clinique. Prenez votre temps et
soignez aussi vos nerfs, un peu fatigués par les
drogues que nous avons dû vous administrer. C'est
pourquoi je vous conseille d'aller à la campagne,
de vous y installer et de vous intéresser à la politique locale aussi bien qu'aux scandales du pays.
Occupez-vous de vos voisins, ça vous fera du bien !
Et, si je puis me permettre une recommandation,
allez quelque part où vous ne connaissez absolument personne !

Je répondis que c'était bien là mon intention.
Rien ne me paraît aussi insupportable que la sympathie des gens qui ne vous la témoignent que pour
vous entretenir de leurs petites affaires.

— Mais, Jerry, vous avez une mine magnifique !
Il faut que je vous raconte quelque chose ! Savez-
vous ce que Buster m'a fait?

Des propos de ce genre, je ne tiens pas à les
entendre. Les chiens sont sages, qui se retirent

dans un coin pour lécher leurs blessures, pour ne reprendre leurs habitudes que guéris.

Et c'est ainsi que Joanna et moi, choisissant à l'aveuglette parmi les innombrables propriétés qui nous étaient proposées par les agents de location, nous décidâmes que « Little Furze », à Lymstock, pourrait peut-être nous convenir parce que nous n'étions jamais allés à Lymstock et que nous ne connaissions personne dans la région.

« Little Furze » était exactement ce qu'il nous fallait. C'était une petite maison, blanche et proprette, construite en bordure de la route, à un demi-mille environ de Lymstock. Les fenêtres ouvraient sur un paysage de landes couvertes de bruyères et l'on apercevait sur la gauche la pointe du clocher de Lymstock. Elle avait appartenu autrefois à deux vieilles filles, dont une seule survivait, la plus jeune, miss Emily Barton.

C'était une petite dame âgée, mais charmante, qui allait admirablement avec sa maison. D'une voix douce, et comme si elle s'excusait, elle avait déclaré à Joanna — qui lui avait rendu visite seule — qu'elle n'avait jamais loué « Little Furze » auparavant et qu'elle ne l'eût jamais fait si les circonstances ne l'y avaient obligée.

— Mais, lui avait-elle expliqué, les choses ne sont plus ce qu'elles étaient ! Il y a les impôts... Il y a mes valeurs, des valeurs sûres, qui m'avaient été recommandées par la banque, et qui ne rapportent plus rien ! Tout ça me rend la vie très difficile ! Bien sûr, et je vous dis ça parce que je sais que vous me comprenez et que vous ne vous formaliserez pas, ce n'est pas agréable de louer sa maison à des étrangers, mais, quand on ne peut pas faire autrement, il faut bien en passer par là. D'ailleurs, vous ayant vue, je serai contente de vous savoir installée ici. « Little Furze » ne se trouvera pas mal d'être habitée par quelqu'un de jeune et j'étais tellement contrariée à l'idée qu'il pourrait y avoir des hommes dans la maison !

A ce moment de la conversation, Joanna fut obligée de parler de moi. Miss Emily supporta le choc honorablement.

— C'est bien triste ce que vous me dites là ! fit-elle. Un accident d'aviation ! Ces jeunes gens sont si braves !... Alors, votre frère est pratiquement un invalide ?

Cette pensée semblait la réconforter. Sans doute mon comportement éventuel lui paraissait-il moins inquiétant que celui d'un homme bien portant. Timidement, elle demanda si je fumais.

— Comme une cheminée, répondit Joanna. Moi aussi, d'ailleurs...

— Bien sûr, dit la vieille dame. Je suis bête de poser la question. Que voulez-vous ? Je n'ai pas marché avec mon temps. Mes sœurs étaient toutes plus âgées que moi et ma pauvre maman a vécu jusqu'à quatre-vingt-dix-sept ans ! Elle était très sévère... Mais, évidemment, aujourd'hui, tout le monde fume... Seulement, il n'y a pas de cendriers dans la maison !

Ma sœur déclara qu'elle en apporterait une quantité et ajouta avec un sourire :

— Et je vous promets que nous ne poserons pas nos cigarettes sur les meubles ! J'ai horreur de ça...

Finalement, l'affaire fut conclue. Nous nous installions à « Little Furze » pour six mois, avec une option pour un trimestre supplémentaire. Emily Barton allait vivre dans deux pièces à elle louées par une de ses anciennes femmes de chambre.

— Elle s'appelle Florence, expliqua-t-elle à Joanna, et elle s'est mariée après être restée quinze

pendant des heures et des heures, bataille ensuite
pour que justice soit rendue à son talent, puis,
quand l'ingratitude de son héros a eu le temps de
se manifester, déclare qu'elle a le cœur brisé.
Situation douloureuse qui se prolonge jusqu'à l'ap-
parition d'un autre jeune méconnu, c'est-à-dire
trois semaines en moyenne.

— En tout cas, poursuivit Joanna, reconnais que
je me suis bien adaptée et que je suis telle qu'on
doit être à la campagne !

Je la considérai d'un œil critique et force me fut
de dire que je n'étais pas d'accord.

Joanna portait ce qu'un grand couturier imagine être un costume de sport : un maillot de jer-
sey à manches courtes, parfaitement ridicule, une
robe très ajustée à la taille, coupée dans un magnifique tissu « écossais », des bas de soie superbes et
d'admirables souliers dont le cuir avait l'éclat du
neuf.

— Non, fis-je, rien de ce que tu as sur toi n'est
dans la note. Tu devrais avoir une vieille jupe de
tweed, d'un vert sale ou bien d'un brun un peu
passé, une veste pas trop neuve, de gros bas de
laine et de solides chaussures bien brisées. A ce
moment-là, tu pourrais aller à Lymstock sans y
paraître dépaysée...

Après un silence, j'ajoutai :

— Ton maquillage n'est pas plus réussi que ton
costume.

Elle s'indigna :

— Qu'est-ce que tu lui reproches ? C'est un fond
de teint spécialement étudié pour la campagne...

— Justement, dis-je. Si tu avais vraiment habité
Lymstock, tu n'aurais sur le museau qu'un tout
petit peu de poudre, histoire d'empêcher ton nez
de briller, tu ne te mettrais sur les lèvres qu'un

soupçon de rouge, appliqué à la diable, et tu porterais des sourcils entiers au lieu de n'en conserver que le quart !

— Alors, demanda-t-elle amusée, tu crois qu'ils me trouveront laide?

— Non. Bizarre, seulement...

Elle se remit à examiner les cartes laissées par nos visiteurs qui, tous, à l'exception de la femme du pasteur, avaient eu la malchance, ou peut-être la bonne fortúne, de se présenter à la maison en l'absence de Joanna.

— J'ai l'impression, Jerry, dit-elle en manière de conclusion, que nous sommes tombés dans un pays heureux ! La femme du notaire, la sœur du médecin, tout ça vous a un petit air vieillot que je trouve adorable ! Comment veux-tu que, dans un coin comme celui-ci, il vous arrive quelque chose de fâcheux?

C'était là une réflexion rigoureusement idiote, mais je jugeai inutile de le faire remarquer et je convins que dans un village tel que Lymstock on ne pouvait vivre que parfaitement heureux. Il est amusant de noter que, huit jours plus tard, nous recevions la première lettre.

II

Je m'aperçois que j'ai mal commencé. Je n'ai pas décrit Lymstock et, si je ne comble pas cette lacune, mon récit restera incompréhensible.

Le premier point à souligner, c'est que Lymstock a un passé et un passé qui compte. Au temps de la conquête normande, Lymstock jouait dans la région un rôle important. Sur son territoire, en effet, existait une abbaye, administrée par des moines ambitieux et puissants. Seigneurs et barons du voisinage se mettaient en règle avec le ciel en offrant des terres aux religieux, dont les biens devinrent considérables et le demeurèrent des siècles durant. Le règne d'Henry VIII apporta du nouveau. L'abbaye passa au second plan. Le château domina la ville, mais celle-ci resta prospère, avec ses droits, ses franchises et ses privilèges.

Il en fut ainsi jusqu'au XVIIe siècle. Le progrès passa à côté de Lymstock sans toucher la ville. Le château tomba en ruine. Les grandes routes n'allaient pas à Lymstock. Plus tard, le chemin de fer l'ignora, lui aussi. La ville périclita pour n'être plus qu'un bourg qui s'animait aux jours de marché, un coin perdu au fond de la campagne anglaise.

Le marché avait lieu une fois par semaine. Ce jour-là, on croisait sur les chemins des troupeaux qu'on menait à la ville. Deux fois par an, il y avait des courses de chevaux, disputées par des rosses obscures. L'activité commerciale du pays se concentrait dans High Street, une rue qui ne manquait pas de charme avec ses jolies maisons bien alignées. On y trouvait une épicerie, la boutique du drapier, une grande quincaillerie, deux boucheries concurrentes, un bazar, d'autres magasins encore et un bureau de poste, moderne et prétentieux. Il y avait également à Lymstock un médecin, des hommes de loi — la firme s'appelait Galbraith, Galbraith et Symmington — une magnifique église datant du XIVe siècle, une école publique horrible, de construction récente, et deux cafés.

Bientôt, grâce aux bons offices de miss Emily Barton, quiconque était « quelqu'un » à Lymstock avait déposé sa carte chez nous. Il ne nous restait plus qu'à rendre les visites. Joanna s'y prépara en achetant une paire de gants et en remplaçant son vieux béret de velours par un autre tout neuf.

Cette tournée que nous allions entreprendre nous amusait. Nous n'étions pas là pour la vie, ce séjour à Lymstock n'était dans notre existence qu'un intermède pittoresque et je devais, quant à moi, suivre les conseils du médecin et m'intéresser à mes voisins. Marcus Kent, quand il me disait de ne pas négliger les scandales du pays, ne se doutait certes pas de ce qui m'attendait.

Le curieux, c'est que la lettre, quand nous la reçûmes, nous amusa fort.

Elle arriva, je m'en souviens, au petit déjeuner. Je la tournai et retournai entre mes mains, comme on fait lorsque le temps passe lentement et que rien ne vous presse, et je remarquai qu'elle venait de Lymstock. L'adresse était tapée à la machine à écrire. Je déchirai l'enveloppe et ne trouvai à l'intérieur qu'une feuille de papier sur laquelle avaient été collés des mots et des lettres découpés dans un journal. Etrange missive que je regardai un instant sans bien comprendre.

Joanna, qui examinait des factures, remarqua ma surprise.

— Que se passe-t-il? me demanda-t-elle. Tu as l'air tout drôle !

La lettre exprimait en un style des plus crus l'opinion que Joanna et moi n'étions pas frère et sœur.

— C'est une lettre anonyme, répondis-je. Elle est particulièrement écœurante.

Cette lecture m'avait donné un choc. On ne s'attend pas à des choses pareilles dans un coin perdu comme Lymstock.

— Non? s'écria Joanna, vivement intéressée. Qu'est-ce qu'elle dit?

J'ai remarqué que, dans les romans, les lettres anonymes ne sont, autant que possible, jamais montrées aux dames. Cela, sans doute, parce qu'il sied de ménager leurs nerfs. J'ai le regret d'avouer que l'idée ne me vint pas de garder pour moi seul la singulière épître et que je n'hésitai pas une seconde à la remettre à Joanna.

Je dois dire qu'elle en prit connaissance sans émotion et que le texte parut l'amuser.

— Eh bien ! conclut-elle, voilà quelques gentilles infamies ! J'avais souvent entendu parler de lettres anonymes, mais je n'en avais jamais vu ! Sont-elles toujours de ce style?

— Je l'ignore, répondis-je. C'est la première que j'aie jamais reçue !

— Vois-tu, Jerry, reprit Joanna, tu devais avoir raison à propos de mon maquillage. Les indigènes doivent être persuadés que je suis une fille perdue !

— Probablement, fis-je. Ajoute à cela que notre père était un grand brun et maman une petite blonde, que c'est à lui que je ressemble, alors que toi tu tiens surtout de maman...

— C'est exact. Nous n'avons pas un trait commun et on ne dirait jamais que nous sommes frère et sœur !

— Il y a, en tout cas, quelqu'un qui est convaincu que nous ne le sommes pas !

Joanna, qui trouvait l'aventure très amusante, prit la lettre entre deux doigts et me demanda ce qu'il convenait d'en faire.

— Je crois qu'il faut la jeter dans le feu, répondis-je, d'un petit air dégoûté.

J'avais joint le geste à la parole, Joanna applaudit.

— Bravo ! s'écria-t-elle. Tu as fait ça avec beaucoup d'allure. Dommage que tu ne sois pas comédien !

Elle se leva pour aller à la fenêtre.

— Je me demande qui a pu écrire cette lettre, dit-elle au bout d'un instant.

— Il est probable, fis-je, que nous ne le saurons jamais.

— C'est probable, en effet.

Après un silence, elle ajouta :

— A la réflexion, cette lettre m'ennuie plus que je ne pensais. Je me figurais que les gens d'ici nous avaient adoptés, que nous leur étions plutôt sympathiques...

— Et tu ne te trompais pas ! dis-je vivement. L'auteur de cet envoi est un demi-fou, il n'y a pas de quoi s'inquiéter...

— Espérons-le !... En tout cas, c'est dégoûtant !

Sur quoi elle sortit pour profiter un peu du soleil. J'allumai une cigarette, tout en me disant qu'elle avait parfaitement raison. C'était dégoûtant ! Notre présence déplaisait à quelqu'un. Il y avait à Lymstock un triste personnage, mâle ou femelle, qui enviait la jeunesse de Joanna, sa gaieté et sa beauté un peu apprêtée, un triste personnage qui avait cherché à nous faire du mal. Mieux valait en rire, certes. Mais, au fond, ce n'était pas drôle...

Le docteur Griffith, qui m'examinait toutes les semaines, vint ce matin-là. L'homme me plaisait. Il était gauche, un peu timide, mais fort sympathique. Il se déclara très satisfait de ma santé, formulant toutefois, de sa voix au débit précipité, quelques menues réserves.

— On dirait, fit-il, qu'il y a quelque chose qui ne va pas. Vous n'avez pas l'air tout à fait dans votre assiette, ce matin !

— La vérité, déclarai-je, c'est que j'ai reçu tout à l'heure une lettre anonyme particulièrement odieuse. C'est très désagréable...

Son visage s'était rembruni. Il laissa tomber sa trousse sur le parquet.

— Vous en avez reçu une, vous aussi? me demanda-t-il.

— Il y en a donc eu d'autres?

— Oui. Depuis quelque temps...

— Ah! fis-je. Je croyais que c'était parce que notre présence ici semblait indésirable à quelqu'un...

— Nullement, dit Griffith. Et que racontait-elle cette lettre?

Il rougit brusquement et ajouta avec un certain embarras :

— Excusez-moi! Sans doute n'aurais-je pas dû vous poser la question...

Je le rassurai.

— Ça n'a aucune importance. Mon mystérieux correspondant m'informait qu'il savait parfaitement que la demoiselle à la figure peinturlurée que j'ai amenée avec moi n'est pas ma sœur, qu'il s'en fallait de beaucoup. Je ne vous donne là qu'une version édulcorée du texte !

Il eut une grimace de dégoût.

— Quelle ignominie ! s'écria-t-il. J'espère que votre sœur n'a pas été trop bouleversée par cet infâme message...

— Soyez sans inquiétude, répondis-je. Joanna ressemble au petit ange qu'on pique en haut de l'arbre de Noël, mais elle est terriblement moderne et elle est capable de tout encaisser. L'affaire l'a fait beaucoup rire. C'est la première fois qu'on l'insulte par lettre anonyme...

— Je l'espère bien !

— Et elle a bien raison d'en rire. Que faire d'autre devant des accusations si parfaitement ridicules?

— Bien sûr, dit Owen Griffith. Seulement...

— Seulement?

— L'ennui, avec les lettres anonymes, c'est que l'épidémie se propage vite.

Il y eut un silence.

— Vous n'avez aucune idée, demandai-je, de la personnalité possible de l'auteur de ces lettres?

— Aucune, malheureusement.

Il réfléchit quelques secondes et poursuivit :

— Lorsque la maladie des lettres anonymes est signalée quelque part, voyez-vous, la première chose à faire est de reconnaître sa nature exacte. Si les lettres sont toujours adressées à la même personne ou au même petit groupe d'individus on peut considérer qu'elles sont motivées et leur auteur est généralement quelqu'un qui a ou croit avoir quelque grief contre ses correspondants et qui, par ce moyen infâme, assouvit sa secrète rancune. Dans ce cas, l'auteur des lettres, qui est rarement un malade, c'est assez facile à découvrir : c'est généralement un domestique congédié ou une femme jalouse. Mais si les lettres ne sont pas envoyées à un petit nombre de personnes déterminées, l'affaire est autrement sérieuse. L'auteur, cette fois, n'a aucune raison spéciale d'en vouloir à ses correspondants. C'est le plus souvent un demi-fou, un malade, et, quand on le découvre, ce qui est toujours très difficile, on s'aperçoit que nul ne l'aurait soupçonné. Un cas de ce genre a été observé, l'an dernier, dans le comté voisin. Les lettres étaient écrites par une jeune femme très distinguée, raffinée même, qui dirigeait depuis très longtemps le rayon de modes d'un grand magasin de la ville. Je crains que nous n'assistions au début d'une affaire analogue et, je l'avoue, cela m'effraie...

— Cette épidémie de lettres anonymes s'est déclarée il y a longtemps?

— Je ne crois pas, répondit Griffith, mais c'est difficile à dire, car les gens qui reçoivent des lettres anonymes ne vont pas le crier sur les toits. Ils jettent la lettre au feu et on n'en parle plus...

Il s'interrompit quelques secondes et reprit :

— J'en ai reçu une. Symmington, le notaire, en a eu une, lui aussi. Et également quelques-uns de mes malades, parmi les plus pauvres... Toutes, c'étaient des variations sans imprévu sur un même thème. Symmington était accusé d'entretenir de coupables relations avec sa secrétaire, la pauvre miss Ginch, qui a largement dépassé la quarantaine et qui, avec ses lunettes et ses longues dents de lapin, n'a rien de séduisant. Symmington a porté la lettre à la police. La mienne me reprochait, avec détails à l'appui, d'oublier mes devoirs professionnels quand je me trouvais en présence de malades femmes. Accusations enfantines, ridicules, mais redoutables. Et c'est pourquoi j'ai peur. Ces lettres peuvent provoquer des catastrophes.

— Je le crois.

— Elles sont stupides, grotesques, poursuivit Griffith, mais, un jour ou l'autre, l'une d'elles peut toucher juste et, alors, on ne sait pas ce qu'il peut arriver! Surtout si la victime n'appartient pas à la classe cultivée, si c'est un esprit rustre et crédule. C'est écrit, donc c'est vrai !

— La lettre que j'ai reçue, dis-je, semblait rédigée par un illettré.

— Croyez-vous? fit-il, sceptique.

Il sortit là-dessus. Ce « croyez-vous? » me tracassa longtemps après son départ.

CHAPITRE II

I

Je ne prétendrai pas que cette lettre anonyme ne m'ennuya pas, ce ne serait pas exact... Mais je dois ajouter que je l'oubliai bientôt. Je ne l'avais pas prise au sérieux. Je me souviens m'être dit que ce genre de choses devait arriver assez fréquemment dans les villages reculés, que l'auteur de la lettre était vraisemblablement quelque pauvre femme qui espérait par là pimenter une existence sans saveur parce que monotone et qu'au surplus, si toutes les lettres anonymes reçues à Lymstock étaient aussi bêtement enfantines que la nôtre, le mal n'était pas grand.

Je puis dire que je n'y pensais presque plus quand une huitaine de jours plus tard, Mary vint m'informer d'un air grave que Béatrice, la petite qui, chaque matin, venait lui donner un coup de main, resterait chez elle ce jour-là.

— D'après ce que j'ai compris, monsieur, ajouta-t-elle, elle est toute bouleversée...

Je n'avais pas très bien compris, mais je m'imaginai — à tort — que Mary faisait allusion à des troubles intestinaux qu'elle était trop délicate pour mentionner de façon expresse. Je déclarai donc que j'étais navré et que j'espérais que la petite irait mieux bientôt.

— Elle va très bien, reprit Mary. C'est dans ses sentiments qu'elle est bouleversée...

— Ah? fis-je.

— Oui. A cause d'une lettre qu'elle a reçue... Une lettre qui était pleine d'insinuations, à ce que j'ai compris...

L'œil sombre de Mary, le ton sur lequel elle avait prononcé le mot « insinuations », son attitude, tout cela me donnait à réfléchir : il était probable que ces insinuations me concernaient. J'avais si peu fait attention à Béatrice que je ne sais pas si je l'aurais reconnue si je l'avais croisée dans la rue et un invalide se traînant sur deux cannes se conçoit assez mal dans le rôle du séducteur qui détourne de leurs devoirs les filles du village. Je déclarai donc avec un peu d'impatience dans la voix que l'affaire me semblait absolument ridicule.

— C'est exactement ce que j'ai dit à la mère de la petite, fit Mary. « Des manigances dans cette « maison, que je lui ai dit, il n'y en a jamais eu et « il n'y en aura pas tant que j'y serai ! Quant à « Béatrice, rappelez-vous que les filles d'aujour-« d'hui sont différentes de ce que nous étions et « que je ne sais pas ce que la vôtre a pu faire « dehors ! » La vérité, monsieur, c'est qu'elle fréquente un jeune mécanicien du garage, avec qui elle sort le soir, et qu'il a reçu une lettre, lui aussi...

— En tout cas, moi, dis-je, de ma vie, je n'ai entendu histoire plus absurde.

— C'est bien mon avis, monsieur, conclut Mary.

L'essentiel, c'est que nous sommes débarrassés de la petite et on ne m'ôtera pas de l'idée que, si elle est toute retournée par cette lettre, c'est parce qu'elle a quelque chose à cacher. Comme on dit, il n'y a pas de fumée sans feu !

Je ne savais pas encore combien cette dernière petite phrase finirait par me paraître insupportable.

II

Ce matin-là — il faisait beau et il y avait déjà dans l'air toute la douceur du printemps — j'avais décidé de descendre à pied jusqu'au village. Joanna et moi, nous n'appelions jamais Lymstock autrement. Je reconnais que le mot était impropre et qu'il aurait navré les indigènes s'ils l'avaient entendu.

Tandis que je ramassais mes cannes, Joanna prétendit m'accompagner. Je protestai vigoureusement.

— Non, lui dis-je. Je n'ai pas besoin d'un ange gardien pour me faire la conduite en me murmurant des paroles d'encouragement. Le proverbe a raison qui proclame que l'homme voyage plus vite qui voyage seul. J'ai un tas de choses à faire. Il faut que j'aille chez Galbraith, Galbraith et Symmington, pour donner ma signature au sujet de ce transfert de parts, il faut que je voie le boulanger pour lui dire ce que je pense de ses cakes, il faut que je fasse un saut chez le libraire et que je passe à la banque. Restez chez nous, femme, ma matinée sera déjà trop courte !

Il fut entendu que Joanna viendrait me reprendre avec la voiture.

— Ainsi, dit-elle, tu auras eu le temps de voir tout Lymstock avant le déjeuner !

— Il est certain, répondis-je, que, lorsque tu viendras me cueillir, j'aurai vu toutes les personnes qui comptent dans le village.

A cause de ses magasins, High Street était, en effet, le rendez-vous matinal de tout Lymstock, qui venait là autant pour échanger les nouvelles que pour faire ses courses.

Ma sœur ne m'accompagna pas, mais je ne fis cependant pas le chemin seul. J'avais fait quelques centaines de mètres quand j'entendis dans mon dos, d'abord, le timbre d'une bicyclette, puis un grincement de freins serrés. Peu après, Megan Hunter mettait pied à terre à ma hauteur.

— Allô ! s'écria-t-elle. Comment va ?

J'aimais bien Megan et je la plaignais un peu.

Née du premier mariage de Mrs. Symmington, elle était la belle-fille du notaire et on ne parlait guère de son père, le capitaine Hunter, dont j'avais compris qu'on préférait ne point se souvenir. On racontait qu'il avait maltraité son épouse, qui avait divorcé après deux ou trois ans de vie commune et qui, possédant quelque bien, était venue, avec son enfant, s'installer à Lymstock pour « oublier ». Là, elle avait fini par épouser le seul célibataire du pays, qui fût un parti possible, Richard Symmington. De cette seconde union, elle avait eu deux fils et j'avais assez l'impression que Megan était un peu sacrifiée à ses demi-frères.

Elle ne ressemblait pas du tout à sa mère, qui était une petite femme pas très forte, une beauté fanée, qui parlait d'une voix mélancolique, de sa santé et des ennuis qu'elle avait avec ses domestiques.. Megan, elle, était une grande fille un peu gauche, qui avait vingt ans, mais à qui on n'en donnait guère que seize. Elle avait une tignasse brune, toujours plus ou moins embroussaillée, de beaux yeux verts, une figure anguleuse et un sourire beaucoup plus charmant qu'on n'eût escompté. Elle s'habillait à la diable et sans recherche, portant presque toujours des bas de fil où les trous ne manquaient pas.

Je décidai, ce matin-là, qu'elle avait beaucoup plus l'air d'un cheval que d'un être humain. De fait, un peu plus soignée, elle aurait fait un cheval très présentable.

Elle continua à parler, très vite et presque sans respirer, comme c'était son habitude.

— Je suis allée à la ferme — chez les Lasher, vous connaissez? — pour voir s'ils avaient des œufs de cane. Ils ont une quantité de petits cochons, absolument charmants. Vous aimez les petits cochons? Moi, oui. J'aime même leur odeur...

— Les cochons bien entretenus, dis-je, n'ont pas d'odeur.

— Vraiment?... Eh bien, il n'y a pas de cochons bien entretenus dans le pays!... Vous allez à Lymstock? J'ai vu que vous étiez seul et je me suis dit que j'aimerais faire le chemin avec vous. Je suis descendue de machine un peu vite...

— Et vous avez fait un trou à votre bas !

Elle regarda sa jambe droite.

— C'est vrai. Mais il y en avait déjà deux. Alors, un de plus, un de moins, ça n'a pas grande importance !

— Vous ne raccommodez jamais vos bas, Megan?

— Si ! Quand maman m'y oblige... Seulement, elle s'inquiète rarement de ce que je fais... Dans un sens, c'est une chance !

— Vous n'avez pas l'air de vous rendre compte, fis-je, que vous êtes une grande fille !

— Vous voulez dire que je ne suis pas comme votre sœur, attifée comme une poupée qui sort d'une boîte ?

Cette description de Joanna ne me plut qu'à moitié. Je protestai :

— Ma sœur prend soin d'elle-même et elle est agréable à regarder.

— Elle est vraiment très jolie. D'ailleurs, elle ne vous ressemble pas. Comment ça se fait ?

— Les frères et sœurs ne se ressemblent pas toujours.

— C'est vrai. Je n'ai rien de Brian ni de Colin et ils n'ont eux-mêmes pas un trait qui leur soit commun.

Après un court silence, elle ajouta :

— C'est drôle.

— Qu'est-ce qui est drôle ?

— La famille...

Je me demandai quelle pensée lui traversait l'esprit et nous marchâmes en silence pendant un moment. Au bout d'un instant, d'une petite voix timide, elle reprenait la conversation.

— Vous étiez bien aviateur, n'est-ce pas ?

— Oui.

— Et c'est dans un accident que vous avez été blessé ?

— Oui. Je me suis écrasé au sol.

Après un nouveau silence, elle reprit :

— Ici, personne n'a jamais volé.

— Ça ne m'étonne pas, fis-je. Ça vous plairait de voler, Megan ?

Elle me regarda, très surprise.

— Moi ?... Grands dieux, non ! Je ne tiendrais pas le coup ! Je suis déjà malade en chemin de fer.

Presque aussitôt, avec cette hardiesse dans l'interrogation qui est habituellement un privilège de l'enfance, elle me posait une question que je n'attendais certes pas.

— Pensez-vous, me dit-elle, guérir complètement et pouvoir voler de nouveau ou bien resterez-vous toujours une espèce d'invalide?

— Mon médecin, répondis-je, assure que je me rétablirai tout à fait!

— Oui, fit-elle. Le tout est de savoir s'il ne ment pas.

— Je ne crois pas, répliquai-je. Je suis même sûr du contraire. J'ai confiance en lui.

— Tant mieux! s'exclama-t-elle. Mais il y tant de gens qui disent des mensonges!

Vérité indiscutable, que j'accueillis sans rien dire.

— Eh bien! reprit Megan d'un petit air réfléchi, je suis très contente de ce que vous m'apprenez là. Je croyais que vous paraissiez avoir mauvais caractère parce que vous saviez que vous devriez rester estropié toute votre vie. Mais, si vous avez toujours été comme ça, c'est différent!

— Mais, fis-je d'un ton un peu pointu, je n'ai pas mauvais caractère!

— Disons que vous vous emportez facilement.

— Je m'emporte parce que je voudrais me remettre très vite et qu'il n'y a rien à faire pour hâter mon rétablissement!

— Alors, pourquoi vous emporter?

Je ris de bon cœur.

— Il ne vous est jamais arrivé, dis-je, d'être pressée de voir arriver certaines choses?

Elle considéra la question un instant avant de répondre.

— Non, fit-elle. Il n'y a vraiment rien qui vaille qu'on s'impatiente ! Il n'arrive jamais rien !

Il y avait dans le ton une certaine tristesse qui me frappa. Je lui demandai gentiment à quoi elle employait son temps. Elle haussa les épaules.

— Que voulez-vous que je fasse?

— Je ne sais pas. Vous pourriez jouer au tennis, au golf ! Vous devez bien avoir des amies !

— Je suis très maladroite, dès qu'il s'agit de sport et je n'aime pas jouer. Quant aux filles qui pourraient être mes amies, il n'y en a pas beaucoup et elles ne me plaisent pas. Elles me trouvent impossible !

— Allons donc ! Il n'y a aucune raison !

Elle ne répondit pas.

— Est-ce que vous avez été pensionnaire? demandai-je.

— Oui. Je ne suis rentrée à la maison qu'il y a un an.

— Les études vous plaisaient?

— Ça pouvait aller !... Mais, ce qu'on vous apprend en classe, on vous l'apprend bêtement !

— Que voulez-vous dire par là?

— Ce serait trop long à vous expliquer... On vous donne des notions de tout et on n'étudie rien à fond ! Il est vrai que j'étais dans un petit collège pas cher et que les professeurs n'étaient pas épatants. Quand on les interrogeait, ils répondaient rarement de façon satisfaisante...

— Presque tous les maîtres en sont là !

— Ils ont tort ! Ils devraient savoir...

J'en convins.

— Evidemment, reprit-elle, je vais vous paraître idiote. Mais, enfin, est-ce qu'on ne vous enseigne pas un tas de choses qui ne servent à rien?

L'histoire, par exemple ! Tout change quand vous changez de bouquin !

— C'est justement ce qui fait son intérêt !

Megan, lancée, poursuivait :

— La grammaire, vous trouvez ça intéressant, vous?... Et tout le reste ! Shelley, tout tremblotant d'émotion quand il parle des alouettes ! Wordsworth, qui devenait gâteux devant de malheureux narcisses ! Et Shakespeare !

— Shakespeare aussi? fis-je, amusé. Pourquoi est-ce qu'il ne vous plaît pas, Shakespeare?

— Parce qu'il se donne un mal de chien pour dire les choses de façon si compliquée qu'on ne comprend plus ce qu'il veut dire !... Malgré ça, il y a dans Shakespeare des choses que j'aime !

— Il serait certainement très flatté de l'apprendre.

Imperméable à une ironie qu'elle ne soupçonnait pas, Megan continuait :

— C'est ainsi qu'il y a deux personnages que j'aime bien : Goneril et Regan.

— Pourquoi?

— Je n'en sais trop rien ! Il me semble qu'elles sont « vraies ! ». Pourquoi étaient-elles comme ça? Pouvez-vous me le dire?

— Comme ça, comment?

— Comme elles étaient ! Il y a quelque chose qui avait dû les rendre comme ça ! Mais quoi !

Je regardai Megan avec étonnement. J'avais toujours accepté les deux filles aînées de Lear comme des créatures foncièrement mauvaises, mais je ne m'étais jamais interrogé à leur propos. La question de Megan soulevait un problème curieux.

— Je songerai à ça, répondis-je.

— Bah ! fit-elle, ça n'a pas d'importance ! Ce n'est jamais que de la littérature !

— Certes !... Mais, dans toutes les matières qu'on vous enseignait, il n'y en avait pas une qui vous intéressait?

— Si. Les maths...

— Vraiment?

La réponse me surprenait. Le visage de Megan s'éclairait.

— Oui, dit-elle. J'adorais les maths. On nous les apprenait en dépit du bon sens et j'aurais bien voulu avoir un vrai prof' de maths... Je trouve ça merveilleux. Rien que les nombres, tenez! Vous ne trouvez pas qu'il y a, dans les nombres, quelque chose qui vous transporte?

J'avouai en toute sincérité que c'était un sentiment que je n'avais jamais ressenti.

Nous entrions dans High Street.

— Voici miss Griffith, dit Megan. Une sale femme!

— Vous ne l'aimez pas?

— Je la déteste. Elle me cramponne pour que je fasse partie de sa fichue compagnie de guides. J'ai horreur de cette mascarade! Pourquoi mettre un uniforme pour aller se balader en troupes et pourquoi se coller sur la poitrine un tas d'insignes qui proclament que vous connaissez un tas de choses alors que vous êtes incapable de les faire correctement! Tout ça, c'est de de la blague!

Dans l'ensemble, j'étais assez d'accord avec Megan sur ce point. Mais je n'eus pas le temps de le lui dire : miss Griffith nous abordait. La sœur du médecin, qui portait le nom d'Aimée, dont on peut avancer qu'il ne lui convenait guère, avait toute l'assurance qui manquait à son frère. C'était une assez jolie femme, aux manières un peu masculines, dont la voix profonde n'était pas antipathique.

Elle nous salua d'un bonjour aimable, déclara que le temps était splendide et, s'adressant à Megan, ajouta :

— Megan, vous êtes exactement la personne que je souhaitais rencontrer ce matin ! J'ai besoin de quelqu'un pour m'aider à écrire des adresses pour l'Association des amis des monuments historiques.

Megan murmura quelques vagues mots d'excuses, cala sa bicyclette contre le trottoir et disparut en toute hâte à l'intérieur du Grand Bazar. Miss Griffith l'avait suivie des yeux.

— Cette enfant est extraordinaire, dit-elle. Paresseuse jusqu'à la moelle des os ! Elle passe son temps à flâner et ce doit être pour sa mère une véritable croix. Je sais que la pauvre Mrs. Symmington a bien souvent essayé de lui faire faire quelque chose, jamais elle n'y est parvenue. La sténo, la cuisine, l'élevage des lapins angoras, il y a un tas de choses qu'une jeune fille peut apprendre ! Rien de tout ça ne convient à Megan ! Et, pourtant, elle a besoin d'avoir un intérêt dans la vie !

Je me dis que c'était probablement exact, mais aussi qu'à la place de Megan j'aurais, comme elle, repoussé toutes les suggestions d'Aimée Griffith parce que, comme elle, j'aurais été exaspéré par son agressive personnalité.

Miss Griffith poursuivit :

— Je me méfie de l'oisiveté, surtout chez les jeunes gens. Encore, si Megan était jolie, séduisante ! Mais, bien souvent, je me demande si elle n'est pas à moitié folle. Elle aura été pour sa mère une bien grande déception !

Baissant un peu la voix, elle ajouta :

— Le père ne valait pas grand-chose et l'enfant tient de lui, j'en ai peur. C'est bien triste pour la mère... Enfin, il faut de tout pour faire un monde !

— Heureusement, dis-je.

Aimée Griffith rit avec complaisance.

— Sans doute, reprit-elle ensuite, les choses n'iraient pas très bien si nous étions tous taillés sur le même patron ! Mais, malgré cela, je n'aime pas voir des gens qui ne tirent pas de l'existence tout ce qu'elle peut leur donner. Je jouis de la vie et je souhaite qu'il en aille de même pour tout le monde ! Certaines personnes se figurent que je dois m'ennuyer à mourir d'être à la campagne d'un bout de l'année à l'autre. Eh bien ! pas du tout ! J'ai toujours à faire et je suis heureuse. Il y a toujours moyen d'employer son temps et tout le mien est pris ! J'ai les guides, des sociétés, des comités... et, naturellement, Owen, dont il faut bien que je m'occupe !

À ce point de son discours, miss Griffith aperçut de l'autre côté de la rue quelqu'un de connaissance. Elle lui lança un bonjour cordial et traversa en courant la chaussée, me laissant libre de continuer mon chemin vers la banque. Cette courte conversation n'avait pas modifié mon opinion sur miss Griffith : une femme un peu fatigante, mais énergique, active et, ce qui ne laissait pas d'être sympathique, ravie de l'existence que le sort avait bien voulu lui réserver.

Mes affaires à la banque terminées, j'allai jusqu'à l'étude de Messrs. Galbraith, Galbraith et Symmington. Y avait-il encore des Galbraith ? Je l'ignore. Je sais seulement que je n'en ai jamais vu aucun. On m'introduisit dans le bureau particulier de Richard Symmington, une pièce austère qu'on n'aérait vraisemblablement jamais. Des cartonniers s'alignaient le long des murs. Sur certaines boîtes qu'on devinait bourrées de dossiers, se lisaient les noms les plus décoratifs du comté :

lady Hope, sir Everard Carr, William Yatesby-Hoares, etc. On trouvait là l'atmosphère qu'on aime respirer chez un notaire. On se sentait dans une vieille maison, solide et sérieuse.

Tandis qu'il se penchait sur les documents que j'avais apportés, j'examinais Symmington. Si l'actuelle Mrs. Symmington était allée au-devant des catastrophes avec son premier mariage, avec le second, il était sûr qu'elle n'avait point couru d'aventure : Richard Symmington était la respectabilité faite homme, le type même du mari qui ne saurait donner à son épouse le moindre sujet d'inquiétude. Il avait le cou long, avec une pomme d'Adam très saillante, un nez qui n'en finissait pas et le teint d'une pâleur cadavérique. Un homme courtois, certes, bon époux et bon père de famille probablement, mais de ceux que les femmes peuvent contempler sans que s'accélère le battement de leur pouls.

Nous parlâmes affaires quelques instants, j'eus l'occasion de constater que Mr. Symmington, qui s'exprimait de façon claire et précise, ne manquait ni de bon sens ni de jugement, nous prîmes les décisions convenables, puis je me levai pour me retirer.

— En venant, dis-je, j'ai fait la route avec votre belle-fille.

Il me regarda pendant quelques secondes, comme s'il n'avait pas compris de qui je voulais parler. Puis, souriant, il s'écria :

— Ah ! Megan !... Oui, elle est revenue avec nous depuis quelque temps et nous songeons à lui trouver quelque chose à faire. Il faudrait l'occuper. Mais elle est encore très jeune... et elle est un peu en retard pour son âge. Du moins, c'est ce qu'on me dit !

Dans le bureau que je traversai pour sortir, trois personnes travaillaient : un très vieil homme, penché sur un document qu'il copiait avec une lenteur appliquée, un jeune clerc joufflu et, devant une machine sur les touches de laquelle elle frappait avec impétuosité, une femme d'un certain âge, dont je notai les lorgnons et la chevelure frisottée. Si c'était là miss Ginch, je me ralliais à l'opinion d'Owen Griffith : de tendres intermèdes entre elle et son employeur étaient vraiment peu probables.

Je passai chez le boulanger à qui je parlai du cake exagérément rassis qu'il nous avait livré la veille. Il accueillit ma réclamation avec les protestations d'incrédulité qui s'imposaient et mit fin à l'incident en m'offrant un autre cake, qui celui-là, sortait du four, la chaleur qu'il dégageait en était la preuve évidente.

Je sortis et me postai sur le trottoir, guettant l'arrivée de Joanna, avec la voiture. La marche m'avait fatigué et il m'était en outre difficile de marcher avec mes deux cannes et ce cake qui me chauffait la poitrine.

Joanna se faisait attendre.

Et, soudain, un spectacle étonnant, invraisemblable, un spectacle que je regardai avec une sorte de stupeur incrédule, un spectacle éblouissant frappa mes yeux : à quelques mètres de moi, sur le même trottoir, venant vers moi d'une démarche si légère qu'elle ne paraissait pas toucher le sol, il y avait une déesse !

Une déesse, il n'y a vraiment pas d'autre mot.

Des traits parfaits, des boucles d'or blond, une silhouette mince et fine, un corps ravissant. Elle n'avait pas l'air de marcher, comme les simples humains. On eût dit qu'elle flottait dans l'espace.

Une jeune fille ravissante, belle à n'y pas croire.
Une déesse...

J'étais tellement ému qu'il ne pouvait pas ne pas
se passer quelque chose. Ce qui arriva, c'est que
je laissai tomber mon cake. Je plongeai pour le
ramasser, avec ce résultat que je lâchai ma canne.
Je glissai et fus à deux doigts de m'étaler de tout
mon long sur le trottoir.

Ce fut le bras vigoureux de la déesse qui me
retint. Je me rétablis, balbutiant des excuses, cependant qu'avec un sourire elle me restituait le
cake et ma canne, qu'elle avait ramassés à ma place.

— Ne vous excusez pas ! me dit-elle gentiment.
Et ne me remerciez pas ! C'est si peu de chose...

Le ton était aimable, mais la voix était commune, avec un timbre d'une désolante platitude.
L'enchantement s'évanouit.

C'était une jolie fille, solide et bien portante.
Rien de plus.

Je me mis à songer à ce qu'il serait advenu si les
dieux avaient donné une voix de ce genre-là à la
Belle Hélène. Curieux qu'une jolie créature pût
vous troubler au plus profond de vous-même aussi
longtemps qu'elle n'ouvrait pas la bouche et que le
sortilège disparût à l'instant même où un mot sortait de ses lèvres !

Curieux, encore, que j'eusse déjà vu le contraire
se produire. Je me souvenais d'une femme, petite
et laide, dont le visage rappelait celui d'un chim-
panzé et sur laquelle aucun homme jamais ne
s'était retourné. Quand elle parlait, on ne la voyait
plus. On subissait l'étrange envoûtement d'une
voix mélodieuse et douce, qui faisait oublier tout
le reste.

Joanna, cependant, était venue se ranger au bord

du trottoir. Elle me demanda « ce qu'il y avait de cassé ».

— Rien du tout! répondis-je, redescendant sur la terre. J'étais en train de penser à la Belle Hélène et à quelques autres héroïnes de jadis.

— Tu choisis drôlement tes endroits! s'écria-t-elle. Tu sais que tu n'étais vraiment pas banal, la bouche grande ouverte et ton cake serré contre ta poitrine?

— J'ai reçu un choc, expliquai-je. J'ai été transporté à Troie et je suis revenu.

Désignant d'un mouvement de menton une silhouette qui s'éloignait et que nous n'apercevions plus que de dos, j'ajoutai :

— Tu sais qui est cette personne?

Joanna me répondit que c'était la gouvernante des jeunes Symmington.

— C'est elle qui t'a retourné? me demanda-t-elle ensuite. Elle n'est pas vilaine à regarder, mais c'est un singulier numéro.

— En tout cas, répliquai-je, elle est aimable. Je l'avais prise pour Aphrodite.

Joanna ouvrit la porte de la voiture et je me réinstallai à côté d'elle.

— C'est bizarre, dit-elle. Il y a des gens qui sont très bien et qui n'ont pas le moindre *sex-appeal*. C'est le cas de cette fille... et c'est bien dommage !

Je lui fis remarquer qu'étant donné ses fonctions de gouvernante ça valait peut-être beaucoup mieux.

CHAPITRE III

I

Cet après-midi-là, nous allâmes prendre le thé chez Mr. Pye.

Mr. Pye était un petit homme grassouillet, qui tenait par-dessus tout à ses fauteuils recouverts de dentelle, à ses bergères en dresde et à sa collection de bibelots. Il habitait Prior's Lodge, une propriété sur les terrains de laquelle se trouvaient les ruines du vieux Prieuré.

Prior's Lodge était indiscutablement une demeure charmante entourée de soins amoureux, qui contribuaient à la mettre en valeur. Tous les meubles étaient admirablement astiqués et chacun d'eux occupait la place exacte pour laquelle il semblait avoir été fait. Tentures et coussins avaient été choisis avec goût, et manifestement par quelqu'un qui ne regardait pas à la dépense.

C'était une maison où l'on avait quelque peine à imaginer qu'on pût habiter et ma première impression fut que, vivre là, c'était un peu se décider à passer son existence dans les salles « d'époque » de quelque musée. Mr. Pye n'avait pas de plus grand plaisir que de promener ses hôtes à travers son « home ». C'était un décor auquel on ne pouvait rester insensible. Mr. Pye, d'ailleurs, même quand il avait affaire à des gens qui ne pouvaient comprendre la vie sans un appareil de radio, un bar à cocktails, une salle de bains et les murs indispensables, ne désespérait pas de les amener à avoir de l'existence une conception plus conforme à ses goûts personnels.

Ses petites mains grasses et potelées tremblaient quand il parlait de ses trésors et sa voix montait jusqu'à des notes suraiguës quand il contait dans quelles circonstances passionnantes il avait réussi à acquérir, à Vérone, le lit Renaissance qui était l'orgueil de sa chambre à coucher.

Il nous trouva sympathiques, Joanna et moi, parce qu'il découvrit tout de suite que nous aimions les choses anciennes et les meubles de style.

— C'est un plaisir, nous dit-il, un véritable plaisir que de penser que vous êtes venus vous joindre à notre petite communauté. Les braves gens d'ici sont tellement de leur province ! Ils ne savent rien. Ce sont des Vandales, d'authentiques Vandales. Et leurs intérieurs sont à pleurer. Vous n'avez pas eu cette impression?

Joanna assura que nous n'avions pas été jusqu'aux larmes.

— En tout cas, reprit-il, vous voyez ce que je veux dire. Ils mélangent tout ! J'ai vu, de mes propres yeux, un fauteuil Louis XV, d'un galbe parfait, une véritable pièce de collection, voisiner avec une table victorienne d'une affreuse banalité et avec une bibliothèque tournante en chêne ciré. Oui, mademoiselle, en chêne ciré !

Il haussa les épaules d'un air accablé et ajouta, navré :

— Pourquoi les gens sont-ils aveugles? Vous estimez comme moi, j'en suis sûr, que la beauté est la seule chose qui vaille pour qu'on vive pour elle?

Joanna, touchée par la conviction même du petit homme, affirma que c'était bien là son avis.

— Alors, demanda Mr. Pye, pourquoi les gens s'entourent-ils de laideurs?

Joanna déclara qu'en effet, c'était curieux.

— Curieux? s'écria Mr. Pye. Dites « criminel »! oui, c'est le mot. Criminel! Et quelles excuses invoquent-ils? Ils disent que c'est « confortable »! Ou ingénieux! Ingénieux! Quel mot horrible!

Après une très courte pause, il poursuivit :

— Pour ce qui est de la maison que vous avez prise, celle de miss Emily Barton, elle est charmante et on y trouve quelques pièces intéressantes. Très intéressantes, même. Il en est deux ou trois qui sont de premier ordre. Miss Barton a du goût... encore que j'en sois moins persuadé qu'autrefois. Quelquefois, je me demande si elle n'obéit pas à un sentiment de piété filiale, si elle ne conserve pas les choses en l'état, non par amour de la beauté, non pas pour créer chez elle une flatteuse harmonie, mais uniquement parce qu'elles étaient comme ça du temps de sa mère.

Se tournant vers moi, il continua, sur un ton qui n'était plus celui de l'artiste parlant de sa passion, mais celui du simple commérage :

— Vous n'avez pas connu du tout la famille? Non, évidemment, puisque vous avez traité par l'intermédiaire d'une agence. Dommage! Elle valait la peine d'être connue. Quand je suis arrivé ici, la vieille mère était encore vivante. Une personne incroyable, positivement incroyable. Un monstre,

je n'hésite pas à le dire. Un monstre, qui datait de
l'époque de la reine Victoria et dévorait ses enfants.
En fait, c'était exactement ça ! Elle était monumen-
tale. Elle pesait près de cent kilos, sinon plus, et
il fallait voir comme elle faisait tourner ses filles !
« Les petites ! » C'est ainsi qu'elle les appelait.
« Les petites ! » Et l'aînée, à l'époque, avait largement dépassé la soixantaine. Elle ne se gênait pas
pour les traiter de sottes et elle leur faisait une vie
d'esclaves. Elle les commandait sans répit et elle
entendait qu'elles fussent toujours de son avis. A
dix heures, elle les envoyait se coucher et, même
au cœur de l'hiver, elles n'avaient pas le droit de
faire de feu dans leurs chambres. Quant à inviter
leurs amies à la maison, il n'en était pas question.
La vieille les méprisait parce qu'elles ne s'étaient
jamais mariées et, en même temps, elle les empêchait pratiquement de rencontrer qui que ce fût.
Je crois qu'Emily, à un certain moment, à moins
que ce ne soit Agnès, a failli épouser un pasteur.
Mais la mère a trouvé qu'il n'était pas d'assez bonne
famille et les choses en sont restées là.

— Ça ressemble à un roman ! dit Joanna.

Il rectifia :

— C'était bel et bien un roman. L'horrible vieille
a fini par mourir, mais à ce moment-là il était trop
tard. Les filles ont continué à vivre dans la maison,
s'entretenant à voix basse de ce que maman aurait
souhaité ou non. Tapisser de neuf une chambre à
coucher leur eût paru un sacrilège. Malgré ça, elles
ont disparu. La grippe a emporté Edith, Minnie a
subi une opération et ne s'en est pas remise, la
pauvre Mabel a eu une attaque... Elle a d'ailleurs
été remarquablement soignée par Emily. La pauvre
femme, depuis une dizaine d'années, n'a guère fait
que de jouer les infirmières. C'est une personne

charmante, vous ne trouvez pas? Un dresde. Il est
bien triste qu'elle ait de telles difficultés finan-
cières... Ses revenus ont tellement diminué!

Joanna déclara qu'elle se sentait presque gênée
d'occuper la villa de miss Emily. Mr. Pye protesta.

— Mais pas du tout, ma chère mademoiselle!
Qu'allez-vous chercher là? Elle a sa brave Florence,
qui lui est très dévouée, et elle m'a dit elle-même
qu'elle était très contente d'avoir de si charmants
locataires. Elle a même ajouté qu'elle estimait avoir
eu beaucoup de chance...

— L'atmosphère de la villa, dis-je, est très repo-
sante.

Mr. Pye se tourna vivement vers moi.

— Vraiment? Vous trouvez? Voilà qui est fort
intéressant. C'est assez curieux...

— Comment cela? demanda Joanna.

Mr. Pye eut un geste de la main.

— C'est très difficile à expliquer. Je suis très
sensible aux atmosphères. Je suis convaincu que les
pensées des gens, leurs sentiments, tout cela marque
les pièces où ils vivent. Il en reste quelque chose
dans les murs, dans les meubles...

J'écoutais, assez surpris, tout en promenant les
yeux autour de moi. Comment aurais-je décrit
l'atmosphère de Prior's Lodge? Je me le demandais
et force m'était de me répondre que, si bizarre que
cela pût être, il ne semblait pas qu'il y eût, à Prior's
Lodge, une atmosphère quelconque.

Je réfléchis là-dessus avec tant d'attention que je
n'entendis pas la suite de la conversation, qui se
poursuivit entre Joanna et notre hôte. Je sortis de
ma songerie quand une phrase de ma sœur, annon-
çant que nous allions nous retirer, frappa mon
oreille. Je m'empressai de dire, moi aussi, quelques

mots aimables, puis nous passâmes dans le vestibule.

Comme nous approchions de la porte d'entrée, une lettre, glissée par la fente de la boîte, tomba sur le tapis.

— Le courrier de l'après-midi, dit Mr. Pye, en se baissant pour la ramasser.

Il se releva et poursuivit :

— J'espère, mes jeunes amis, que vous viendrez me revoir. C'est un tel plaisir pour moi, voyez-vous, que de pouvoir m'entretenir avec des esprits cultivés, avec des personnes possédant un certain sentiment artistique. Prononcez le mot « ballet » devant les braves gens du cru. Pour eux, il n'évoquera que des danseuses en tutu pirouettant sur les pointes devant un parterre de vieux messieurs égrillards qui les regardent avec des lorgnettes ! Les malheureux ont cinquante ans de retard, pas moins ! L'Angleterre est un pays magnifique, mais qui a des poches... et Lymstock est une de ces poches ! Il m'arrive souvent de faire cette comparaison. Il faut en prendre son parti, nous sommes dans un petit coin tranquille où il ne se passe jamais rien !

Les poignées de mains échangées, il m'aida à monter en voiture avec un excès d'attentions dont j'aurais pu me passer. Joanna, qui tenait le volant, manœuvra heureusement autour d'une pelouse admirablement entretenue et engagea l'auto dans la ligne droite menant à la route. A ce moment, elle se retourna pour adresser de la main un signe d'adieu à Mr. Pye, resté debout en haut du perron. Je me penchai sur le côté pour faire de même.

Nos gestes demeurèrent inaperçus. Mr. Pye avait ouvert sa lettre. Il tenait à la main une feuille de papier sur laquelle son regard se tenait fixé. Son visage congestionné était de pourpre et ses traits reflétaient autant de surprise que de colère.

Je me rendis compte alors que l'aspect de l'enveloppe m'avait rappelé quelque chose. Je n'y avais pas pris garde sur le moment et la remarque que j'avais faite avait été absolument inconsciente.

— Cristi! murmura Joanna. Qu'est-ce qu'il a, le pauvre?

— J'ai bien l'impression, dis-je, que la Main du Mystère vient de lui frapper sur l'épaule!

Elle me regarda, surprise, et la voiture partit sur la droite.

— Attention, fillette! criai-je.

Elle donna le coup de volant nécessaire et, surveillant la route des yeux, sourcils froncés, elle reprit :

— Tu veux dire qu'il a reçu une lettre analogue à celle qui nous a été envoyée?

— Je le parierais!

— Mais, s'écria-t-elle, où diable sommes-nous tombés?... On se croirait dans le secteur le plus calme qu'on puisse imaginer, dans un petit coin tranquille, innocent, endormi...

— Dans un de ces petits coins où, comme disait Mr. Pye il y a cinq minutes, il ne se passe jamais rien. Il a mal choisi son moment pour dire ça. Il me semble qu'il s'est passé quelque chose!

— Mais, enfin, Jerry, ces lettres, qui les a écrites?

Je haussai les épaules.

— Ma chère enfant, répondis-je, comment veux-tu que je le sache? Je suppose que c'est un pauvre type qui a une case vide, un cinglé...

— Mais pourquoi fait-il ça? C'est tellement bête!

— Si tu tiens à le savoir, lis Freud, lis Jung...
ou demande au docteur Owen.

— Ça non ! Le docteur Owen ne m'aime pas !

— Il t'a à peine vue.

— Il m'a assez vue en tout cas pour changer de
trottoir quand il me reconnaît dans la rue !

Je convins que c'était là une singulière façon
d'agir.

— Tes admirateurs, dis-je, t'ont habituée à des
manières sensiblement plus courtoises.

Elle sourit à peine. Son front restait soucieux.

— Sérieusement, Jerry, reprit-elle, pourquoi y
a-t-il des gens qui écrivent des lettres anonymes ?

— Comme je viens de te le dire, fis-je, ce sont
des gens qui ont une case vide. Ecrire ces lettres
qu'ils ne signent pas, c'est chez eux un besoin qu'il
leur faut satisfaire. J'imagine que certaines personnes, lorsqu'elles se sentent humiliées ou mécon-
nues, lorsqu'elles jugent qu'on ne rend pas justice
à leurs mérites, lorsqu'elles trouvent la vie morne
et insipide, éprouvent une joie mauvaise à se prouver à elles-mêmes qu'elles sont tout de même puis-
santes, en poignardant dans l'ombre des gens heureux, qui jouissent de la vie.

— Ce n'est pas très élégant...

— C'est le moins qu'on puisse dire.

— Je pense, dit Joanna, que l'auteur des lettres
est une personne qui n'a reçu ni instruction ni éducation. Quelqu'un de bien élevé...

Elle n'acheva pas sa phrase et je jugeai inutile
de rien dire. Je n'ai jamais cru que l'éducation
rende bons et honnêtes ceux qui la reçoivent.

Quelques vigoureuses commères bavardaient dans
High Street. Elles avaient l'air calmes et tranquilles. Qui pouvait assurer, pourtant, qu'il n'en

était pas une, parmi elles, qui songeait à la lettre vengeresse qu'elle enverrait tout à l'heure?

Je me posai la question. Cependant, j'hésitais encore à prendre l'affaire au sérieux.

II

Le surlendemain, nous allâmes jouer au bridge chez les Symmington.

C'était un samedi après-midi et l'étude était fermée. Il y avait deux tables de jeu et nous étions huit : les Symmington, Joanna et moi, miss Griffith, Mr. Pye, miss Barton et un certain colonel Appleton, que nous n'avions pas encore rencontré et qui résidait à Combeacre, un village situé à une dizaine de kilomètres de Lymstock. C'était un homme d'une soixantaine d'années qui se faisait le champion de ce qu'il appelait « un jeu audacieux », tactique qui lui coûtait fort cher, ainsi qu'à ses partenaires. Joanna l'intéressait énormément et il ne devait pas la quitter des yeux de tout l'après-midi. Je reconnais d'ailleurs que ma sœur était sans doute la plus jolie fille qu'on eût vue à Lymstock depuis bien des années.

A notre arrivée, Elsie Holland, la gouvernante des enfants, fourgonnait dans un petit secrétaire, à la recherche de marqueurs, qu'elle finit par trouver. Je la regardai s'éloigner. Elle semblait glisser sur le sol, comme une créature immatérielle. Mais le charme n'opérait plus pour moi et je remarquai qu'elle avait de grandes dents, larges comme des pierres tombales, et qu'elle montrait ses gencives de façon très disgracieuse lorsqu'elle souriait.

Elle parlait à Mrs. Symmington et c'était un flot de paroles :

— Ce sont bien ces marqueurs-ci, n'est-ce pas, madame? Je ne me souvenais pas du tout de l'endroit où je les avais rangés la dernière fois! C'est, d'ailleurs, ma faute, j'en ai peur! Je les avais en main, Brian a eu besoin de moi, je me suis occupée de lui et, en définitive, je ne sais plus ce que j'ai fait des marqueurs. Ce ne devaient pas être ceux-ci. Je m'aperçois, en effet, qu'ils sont un peu jaunes sur le bord. J'ai dû mettre les bons dans un coin impossible!... Je commande le thé à Agnès pour cinq heures?... Je vais emmener les enfants à Long Barrow. Comme ça ils ne feront pas de bruit.

C'était décidément là une jolie fille, et qui avait la tête sur les épaules. Joanna m'examinait du coin de l'œil. Elle riait. Je la regardai très froidement. Diable de gosse, qui sait toujours les réflexions qui me traversent l'esprit !

Bientôt, nous commençâmes à jouer et je ne tardai pas à savoir à quoi m'en tenir sur la valeur des uns et des autres en tant que joueur de bridge. Mrs. Symmington, qui adorait le bridge, jouait très bien, avec une finesse, toute instinctive, tout à fait remarquable. Son mari était un joueur de bonne force, un peu trop prudent. Mr. Pye, lui, était plutôt un peu emballé, avec une fâcheuse propension aux annonces hasardeuses. Nous jouions, Joanna et moi, à la table de Mrs. Symmington et de Mr. Pye, cependant que Symmington déployait des prodiges de tact pour maintenir la paix à l'autre table. Le colonel Appleton, ainsi que je l'ai dit, avait tendance à pratiquer « un jeu audacieux ». La petite miss Barton, incontestablement la plus mauvaise joueuse de bridge que j'aie jamais rencontrée, s'amusait énormément. Elle n'avait pas la moindre idée de la valeur de sa main, ne connaissait jamais la marque, oubliait de compter les atouts et bien souvent ne savait même pas quel il était. Elle résumait elle-même sa conception du jeu en quelques mots : « J'aime le bridge, disait-elle, à condition qu'on ne m'embête pas avec toutes sortes de règles et de conventions, à condition aussi qu'on n'épilogue pas sur ce qui vient de se passer. Après tout, il ne s'agit que d'un jeu ! » On conçoit qu'avec le colonel et miss Barton, Symmington n'avait pas la tâche facile.

Les deux parties, cependant, se poursuivirent sans accroc jusqu'à l'heure du thé, que nous prîmes dans la salle à manger. Comme nous finissions, arrivèrent en trombe deux garçonnets passablement excités, que Mrs. Symmington nous présenta avec une fierté toute maternelle, sous le regard indulgent de son mari.

Nous allions nous lever de table quand j'aperçus Megan, debout près de la porte-fenêtre.

— Tiens ! dit sa mère. Voici Megan !

Il y avait dans sa voix comme une note de surprise. On eût pu penser qu'elle avait complètement oublié l'existence de sa fille.

Megan entra dans la pièce et, dans sa gaucherie ordinaire, sans la moindre grâce, serra les mains à la ronde.

— J'ai bien peur, ma chérie, reprit Mrs Symmington, qu'on ait oublié ton thé. Miss Holland a pris le sien dehors, avec les petits et je n'ai pas pensé que tu n'étais pas avec eux, de sorte que je n'ai pas demandé à Agnès de t'en préparer !

— Ça ne fait rien, répondit Megan. Je vais aller à la cuisine.

Elle sortit, de sa démarche lourde et traînante.

Elle était habillée à la diable, comme toujours, et ses bas n'avaient pratiquement plus de talons.

— Ma pauvre Megan ! s'écria Mrs. Symmington en riant. Il faut l'excuser ! Elle est à l'âge ingrat. Les filles sont timides et bizarres quand elles viennent de quitter l'école et qu'il leur reste encore à devenir de grandes personnes !

Joanna rejeta la tête en arrière. Je connaissais le geste. Il annonçait l'offensive.

— Mais, dit-elle, Megan a bien vingt ans ?

— Sans doute, fit Mrs. Symmington. Mais elle est restée très jeune. C'est encore une enfant... Et ça ne me déplaît pas ! C'est si charmant, une petite fille qui ne grandit pas trop vite... Je crois que toutes les mères sont comme moi et qu'elles voudraient toutes voir leurs enfants rester toujours petits !

— Je ne vois pas pourquoi, répliqua Joanna. Imaginez ce que serait une enfant qui aurait grandi et qui aurait conservé la mentalité d'une gamine de six ans !

Mrs. Symmington protesta qu'il ne fallait pas prendre ce qu'elle disait au pied de la lettre et je m'avisai à ce moment que cette femme ne me plaisait guère. Sa beauté anémique devait cacher une nature égoïste et âpre.

— Ma pauvre Megan, ajouta-t-elle, est une enfant difficile. J'ai essayé de lui trouver quelque chose à faire, quelque chose qui puisse s'apprendre par correspondance, comme le dessin de modes, par exemple. J'aurais aimé, aussi, lui faire apprendre la sténo-dactylographie...

On reprenait place autour des tables de bridge. Il y avait toujours une petite lueur rouge dans l'œil de Joanna.

— J'imagine, dit-elle s'asseyant, que Megan va

commencer à aller dans le monde. Donnerez-vous un bal en son honneur?

— Un bal? s'écria Mrs. Symmington, aussi surprise qu'amusée. Mais ça ne se fait pas par ici!

— Je vois. On s'en tient au tennis...

— Le tennis? Il y a des années qu'on n'a joué sur notre court. Richard ne joue pas, moi non plus. Plus tard, quand les enfants grandiront, nous verrons... Quant à Megan, soyez sans inquiétude! Elle aura largement de quoi s'occuper! Elle est très heureuse comme elle est actuellement... Voyons, c'est à moi de parler, je crois!... Deux sans atout!

Pendant le trajet de retour, Joanna, donnant du pied sur l'accélérateur avec une insistance dangereuse, me dit que la situation de Megan lui faisait beaucoup de peine.

— J'ai l'impression, expliqua-t-elle, que sa mère ne l'aime pas.

— Tu exagères!

— Pas du tout! Il y a des tas de mères qui n'aiment pas leurs enfants! Megan est un petit être assez singulier, qui apporte dans la maison Symmington un élément qui ne va pas avec le reste. La maison Symmington forme un tout sans elle... et c'est une constatation qui doit être très pénible à une créature ayant de la sensibilité. Et c'est son cas...

Je ne répondis pas. Au bout d'un instant, Joanna se mit à rire.

— Tu n'as pas de veine avec la gouvernante! fit-elle.

Je pris un air très digne pour lui répondre que je ne voyais pas à quoi elle pouvait faire allusion.

— Ne dis donc pas de bêtises! reprit-elle. Chaque fois que tu la regardais, le chagrin se lisait sur ton visage. Et je suis bien de ton avis, c'est vraiment une pitié !

— Je te répète que je ne comprends pas.

— Mais, dans le fond, poursuivit-elle, ça me fait plaisir tout de même. Cela prouve que tu reviens à la vie. A l'hôpital, tu m'inquiétais beaucoup. Tu ne paraissais pas t'apercevoir que ton infirmière était très jolie. Le Bon Dieu est quelquefois bien gentil pour les blessés.

— Joanna, fis-je, ta conversation me navre !

Sans prêter la moindre attention à ma remarque, elle continua :

— De sorte que j'ai été très contente de m'apercevoir que tu étais encore capable de lorgner un beau brin de fille. Elle n'est pas mal, c'est incontestable. Ce que je ne comprends pas, c'est qu'elle n'ait pas le moindre *sex-appeal* ! Ça, c'est vraiment bizarre ! Comment se fait-il que certaines femmes attirent les hommes, et d'autres pas? Comment se fait-il que certaines n'ont qu'à dire : « Quel chien de temps ! » pour que tous les hommes qui sont dans le voisinage accourent à toutes jambes pour discuter de la température avec elles alors que d'autres ne réussiront jamais à attirer leur attention? Je croirais assez volontiers que le Destin se trompe parfois, au moment de la distribution. Il construit une Aphrodite, et, en principe, lui donne le tempérament convenable. Et puis, un autre jour, il se trompe et il expédie ledit tempérament à une petite joufflue ! Alors, les autres femmes deviennent folles et elles disent : « Je « ne sais pas ce que les hommes peuvent bien lui « trouver ! Enfin, voyons, elle n'est même pas « jolie ! »

— Tu as fini, Joanna?

— Tu es bien de mon avis?

— J'admets, dis-je, que cette jolie fille m'a déçu.

— Et je ne vois pas sur qui tu pourras te rabattre ! Il faudra te résigner à faire la cour à Aimée Griffith !

— Dieu m'en préserve !

— Elle n'est pas laide.

— Elle est un peu trop amazone pour mon goût.

— En tout cas, remarqua Joanna, elle a l'air d'aimer la vie. Elle éclate de santé ! Je ne serais pas surprise d'apprendre qu'elle prend un bain froid tous les matins !

— Tu te préoccupes de moi, dis-je. C'est très gentil. Mais toi, que vas-tu faire ?

— Moi ?

— Oui. Autant que je te connaisse, il va te falloir quelque distraction...

Elle poussa un soupir qui eût attendri tout autre que moi.

— Qui est-ce qui dit des méchancetés, maintenant ? fit-elle. Tu oublies Paul.

— Je l'oublierai moins vite que toi, répliquai-je. Dans dix jours, tu me diras : « Paul ? Paul qui ? Je « n'ai jamais connu de Paul ! »

— Tu me crois donc si volage ?

— Quand il s'agit de types dans le genre du Paul en question, il y a d'ailleurs lieu de s'en féliciter !

— Tu ne l'as jamais aimé, mais il avait quand même un peu de génie !

— C'est possible, bien que j'en doute. En tout cas, autant que je sache, les génies sont des gens dont il convient de se méfier. De toute façon tu n'en trouveras pas par ici !

Joanna me regarda un instant, puis dit d'un ton chagrin :

— J'ai bien peur que non.

— Tu seras obligée de te rabattre sur Owen Griffith. C'est le seul célibataire disponible sur la place. A moins que tu ne préfères le colonel Appleton, qui t'a couvée du regard tout l'après-midi !

Elle éclata de rire.

— C'est vrai ! Je finissais par être gênée !

— Ne me raconte pas d'histoires ! Je ne t'ai jamais vue intimidée par le regard d'un homme !

Joanna ne répondit pas. Nous arrivions. La voiture remisée au garage, elle dit :

— Il y a peut-être quelque chose dans ce que tu as dit tout à l'heure...

— Qu'est-ce que j'ai dit?

— Je ne vois pas pourquoi un monsieur passerait délibérément sur l'autre trottoir pour m'éviter. C'est impoli, pour ne rien dire d'autre.

— Ah ! ah ! fis-je. Tu vas de sang-froid chasser l'homme et l'abattre !

— Je ne dis pas ça ! Mais, enfin, je n'aime pas qu'on m'évite !

Tout en revenant doucement vers la maison, je me permis de donner à ma sœur un petit conseil :

— Laisse-moi te dire une chose, petite fille. Owen Griffith n'est pas un de ces esthètes domestiqués dont tu as l'habitude. Si tu ne te méfies pas, tu vas te fourrer dans un drôle de guêpier ! Cet homme peut être dangereux.

— Vraiment?

La perspective paraissait l'enchanter.

J'insistai :

— Laisse-le tranquille, va !

— Alors, pourquoi change-t-il de trottoir quand il me voit?

— Vous êtes bien toutes les mêmes, dis-je en ricanant. Quand vous avez choisi un refrain, on n'entend plus que lui. Je te signale en outre que, si je ne m'abuse, tu devras compter avec l'hostilité d'Aimée...

— Je sais qu'elle me déteste déjà, répondit Joanna.

Elle parlait d'un petit ton réfléchi, mais assez satisfaite évidemment des projets de bagarre qu'elle envisageait.

— En tout cas, dis-je avec fermeté, souviens-toi que nous sommes venus ici pour avoir le calme et la tranquillité et que j'entends que nous les trouvions !

Le calme et la tranquillité, nous n'allions pas tarder à être privés de l'un et de l'autre !

CHAPITRE IV

I

Une huitaine de jours plus tard, Mary m'informait que Mrs. Baker serait heureuse que j'eusse la bonté de lui accorder deux minutes d'entretien.

Le nom de Mrs. Baker n'évoquait rien dans mon esprit.

— Qui est Mrs. Baker? demandai-je. Ne pourrait-elle voir Joanna?

Mary précisa que c'était moi personnellement qu'on désirait voir. Mrs. Baker était la mère de Béatrice.

Celle-là, je l'avais complètement oubliée. Depuis une quinzaine de jours, j'avais vaguement remarqué, se traînant à quatre pattes sur le carrelage du couloir ou de la salle de bains, une femme à cheveux gris, qui battait en retraite sur le côté, à la manière des crabes, lorsqu'elle m'apercevait. Je savais donc que nous avions une nouvelle femme de charge. Mais il ne m'arrivait plus de penser à l'incident créé par Béatrice.

Il m'était difficile de refuser de recevoir la mère de la jeune fille et ce d'autant plus que Joanna, paraît-il, était sortie. Cet entretien, pourtant, m'agaçait. Allais-je être accusé de m'être joué des purs sentiments de l'innocente Béatrice? Je le craignais un peu et c'est tout en maudissant intérieurement les malfaisantes activités des gens qui écrivaient des lettres anonymes que je dis à Mary d'introduire Mrs. Baker.

La mère de Béatrice était une grande et forte femme, au visage hâlé, qui s'exprimait avec volubilité. Je remarquai avec soulagement qu'elle ne m'accusait de rien et qu'elle n'était pas en colère.

— J'espère, monsieur, me dit-elle, la porte à peine fermée, que vous excuserez la liberté que j'ai prise de venir vous voir. J'ai pensé que c'était à vous que je devais m'adresser et je vous serais très reconnaissante de me dire ce que je dois faire dans les circonstances présentes. A mon avis, monsieur, il y a quelque chose à faire ! Je n'ai jamais été de celles qui s'endorment alors qu'il faut agir et j'ai toujours dit qu'il ne sert à rien de grogner et de se lamenter ! « Il ne faut jamais désespérer ! » Mr. le Curé le disait encore dans son sermon, la la semaine dernière...

J'étais un peu surpris. J'avoue que le discours ne me paraissait pas très clair.

— Mais, certainement, dis-je, je serai heureux de vous aider dans la mesure de mes moyens. Voudriez-vous vous asseoir?

Elle me remercia et prit place sur l'extrême bord d'une chaise.

— C'est très gentil à vous, monsieur, reprit-elle, et je suis très heureuse d'être venue vous trouver. Comme je l'ai dit à Béatrice, qui pleurnichait sur son lit : « Si quelqu'un sait ce qu'il faut faire, c'est

« Mr. Burton, qui est un gentleman de Londres. »
Car, j'en suis sûre, il y a quelque chose à faire !
Quand bien même on aurait affaire à des jeunes
gens qui ne veulent pas entendre raison, surtout
quand c'est une jeune fille qui leur parle. Mais,
comme je l'ai dit à Béatrice, à sa place, moi, je
n'hésiterais pas, je lui dirais ce que j'ai sur le cœur
et je lui parlerais un peu de la fille du moulin !

Je comprenais de moins en moins.

— Je vous demande pardon, dis-je, mais il y a
quelque chose qui m'échappe. Qu'est-il arrivé ?

— Ce sont ces lettres, monsieur ! Des lettres
ignobles, avec des gros mots... pires que ceux
qu'on trouve dans la Bible !

Sans m'attarder à cette dernière remarque, pourtant intéressante, je demandai :

— Votre fille a reçu de nouvelles lettres ?

— Pas elle, non monsieur. Elle, elle n'en a reçu
qu'une, celle à la suite de laquelle elle a quitté
d'ici...

— Sans raison, je vous assure...

Mrs. Baker ne me laissa pas continuer.

— Vous n'avez pas besoin de me dire, dit-elle
d'un ton convaincu, que les horreurs qui étaient
écrites dans cette lettre étaient des mensonges.
Mary m'avait donné sa parole et je m'en serais bien
rendu compte par moi-même ! Vous n'êtes pas de
ces gens-là, ça se voit bien, vous êtes plus ou moins
un invalide, bref, passons ! C'étaient des mensonges, mais il valait bien mieux que Béatrice s'en
aille, parce que vous savez comment sont les gens,
monsieur, et comment ils causent ! « Il n'y a pas de
fumée sans feu », voilà ce que les gens disent ! Une
fille ne prend jamais trop de précautions ! La petite
était toute honteuse, alors je lui ai dit : « Tu as
cent fois raison ! » quand elle m'a annoncé

qu'elle ne voulait plus revenir ici. Quoique je le regrette, bien sûr...

Elle s'interrompit pour reprendre haleine, puis reprit :

— J'espérais que c'était une histoire dont on ne parlerait plus. Seulement, voilà que George, qui travaille au garage, a reçu une de ces sales lettres. George, c'est le garçon qu'elle fréquente. La lettre raconte un tas de saletés sur notre Béatrice, et notamment qu'elle voit Tom, de chez Fred Ledbetter... Ce qui est faux, car je peux vous assurer, monsieur, qu'elle est polie avec lui, pas plus, et qu'elle n'est jamais sortie le soir avec lui...

Je m'appliquais à bien comprendre. Il fallait compter avec ce Tom, de chez Fred Ledbetter. Une complication dont on se serait bien passé...

— Permettez ! dis-je. Je ne me trompe pas : le... petit ami de Béatrice a reçu une lettre anonyme qui accuse votre fille d'avoir une intrigue avec un autre jeune homme ?

— C'est bien ça ! Et, naturellement, c'est dit avec tous les gros mots que vous pouvez penser ! Alors, George est entré dans une colère folle, il est arrivé à la maison absolument furieux, il a dit à Béatrice qu'il ne supporterait pas ça, qu'il ne permettrait pas qu'elle aille courir avec d'autres garçons, etc. Elle lui a répondu que c'étaient des mensonges, il a dit qu'il n'y avait pas de fumée sans feu et il est parti, toujours furibard. Alors, Béatrice s'est mise à pleurer toutes les larmes de son corps.

Elle me faisait penser à un brave chien qui attend sa récompense, après avoir réussi un tour particulièrement habile.

— Mais, demandai-je, pourquoi est-ce moi que vous êtes venue trouver ?

— Ma foi, monsieur, répondit-elle, parce que
vous avez reçu une de ces sales lettres et parce que
vous devez savoir, vous qui êtes un monsieur, ce
qu'il faut faire dans ce cas-là !

— A votre place, dis-je, j'irais à la police. Il faut
en finir avec ces infamies.

Mrs. Baker parut profondément choquée.

— Oh ! Non, monsieur ! Je n'irai pas à la police.

— Pourquoi non?

— Je n'ai jamais eu affaire à la police !

— C'est entendu, fis-je. Mais seule la police
peut faire quelque chose dans ces sortes d'affaires.
Elle est là pour ça !

— Il faudrait que j'aille trouver Bert Rundle?
Bert Rundle, je le savais, était un agent de police.

— Il vaudrait mieux aller au poste de police
même, où vous rencontrerez un sergent, peut-être
même un inspecteur...

— Moi, aller au poste de police?

La voix était lourde de reproches non formulés.
Je commençais à me trouver mal à l'aise.

— C'est là, repris-je, le seul conseil que je puisse
vous donner.

Mrs. Baker se taisait. Elle n'était pas convaincue.

— Pourtant, monsieur, dit-elle au bout d'un instant, il faut en finir avec ces lettres. Un jour ou
l'autre, elles feront du mal.

— Il me semble qu'elles en ont déjà fait !

— Elles feront pire ! Les jeunes gens sont vio-
lents, monsieur... Et, quelquefois, les vieux aussi !

Je demandai si d'autres lettres avaient été reçues
récemment. Elle fit oui d'un signe de tête.

— C'est de pis en pis, monsieur ! Mr. et Mrs. Beadle, au *Sanglier bleu*. Ils étaient heureux, ils
l'avaient toujours été. Ces saletés de lettres sont
venues... et voilà que Mr. Beadle se met à penser

des choses... Des choses qui ne sont pas, je peux
vous le jurer !

Je me penchai un peu en avant.

— Madame Baker, dis-je, avez-vous une idée
quelconque sur l'auteur possible de ces abominables lettres anonymes?

A ma grande surprise, elle répondit oui.

— Bien sûr que j'ai une idée là-dessus ! Et je ne
suis pas la seule à l'avoir !

— Alors, ces lettres, qui les écrirait?

Je pensais qu'elle aurait quelque répugnance à
articuler un nom, mais elle n'hésita pas une seconde.

— C'est Mrs. Cleat... C'est l'opinion de tout le
monde !... C'est Mrs. Cleat, ça ne fait pas de doute !

Elle m'apprit que Mrs. Cleat était la femme d'un
jardinier, assez âgé déjà, qui habitait sur la route
conduisant au moulin. Mes autres questions n'ob-
tinrent que des réponses assez imprécises. Comme
je lui demandais pourquoi Mrs. Cleat enverrait ces
lettres abominables, Mrs. Baker se contenta d'affirmer que « cela lui ressemblerait bien ».

Elle se retira peu après. Je lui avais de nouveau
conseillé de se rendre au poste de police, mais
j'étais bien sûr, quand elle me quitta, qu'elle n'en
ferait rien. J'avais d'ailleurs l'impression de l'avoir
fortement déçue.

Je réfléchis longuement à ce qu'elle m'avait dit.
Bien que l'accusation semblât ne reposer sur rien,
je finis par admettre que, puisque tout Lymstock
tenait que les lettres étaient écrites par Mrs. Cleat,
ce devait probablement être vrai. Je décidai donc
d'en parler à Griffith, qui, la connaissant selon
toute vraisemblance, me dirait s'il convenait ou
non de faire part à la police des soupçons de la
population.

Je m'arrangeai pour arriver chez lui à peu près à l'heure où prenaient fin ses consultations. Son dernier malade parti, Griffith me fit passer dans son cabinet.

— Alors, Burton?

— Je voudrais vous parler...

Je lui racontai ma conversation avec Mrs. Baker. A mon vif désappointement, c'est avec scepticisme qu'il accueillit la possibilité que Mrs. Cleat fût la coupable.

— Ce n'est pas si simple que ça ! me dit-il.

— Vous ne croyez pas qu'elle puisse être l'auteur des lettres?

— Ce n'est pas impossible, mais c'est peu probable.

— Alors, pourquoi la rumeur publique l'accuse-t-elle?

— Simplement, répondit-il en souriant, parce que, ce que vous me paraissez ignorer, Mrs. Cleat est la sorcière du pays !

Je poussai une exclamation incrédule.

— Je sais, poursuivit-il, ça paraît étrange au siècle où nous vivons, et pourtant c'est comme ça ! On continue à croire, dans nos villages, qu'il existe certaines gens, certaines familles qu'il est imprudent d'offenser. Mrs. Cleat appartient à une famille où les femmes passent pour avoir « le mauvais œil... » et je crois qu'elle a pris soin d'entretenir la légende. C'est une femme assez curieuse, pas très bienveillante et possédant un certain sens de l'humour. Il lui a été facile, le jour où un gosse s'est coupé le doigt ou a fait une mauvaise chute, de hocher la tête en disant : « Ça devait arriver ! Il m'a volé des pommes la semaine dernière ! » ou « Il a tiré la queue de mon chat !... » Les mères ont commencé par tenir leurs enfants loin d'elle,

puis, pour se ménager ses bonnes grâces, elles lui
ont apporté du miel ou un gâteau, quand elles faisaient de la pâtisserie. Ainsi, elle ne serait pas
tentée de leur jeter des sorts. C'est stupide, c'est
de la superstition pure, mais, je vous le répète,
c'est comme ça ! Et ça vous explique qu'on la considère comme l'auteur des lettres...

— Et ce ne serait pas elle?

— Je ne crois pas. Contrairement à Mrs. Baker,
j'estime que ça lui ressemblerait peu. Elle n'est
pas si bête que ça !

Je le regardai longuement.

— Et vous, dis-je enfin, avez-vous une idée?

Il secoua la tête, le regard ailleurs.

— Pas la moindre !... Mais cette vilaine affaire
me déplaît infiniment et j'ai peur que tout cela ne
finisse très mal !

II

A mon retour, je trouvai Megan assise sur les
marches de la véranda, le menton sur les genoux.

Elle me salua avec sa simplicité habituelle.

— Allô ! dit-elle. Pensez-vous que je puisse m'inviter à déjeuner?

— Certainement, dis-je.

Je m'éloignai pour prévenir Mary que nous se-
rions trois à table. Elle ne fit naturellement aucune
objection, mais son attitude me laissa clairement
entendre qu'elle tenait Megan en assez piètre estime.

Je revins à la véranda.

— Alors? dit Megan. Je ne dérangerai pas trop?

— Pas du tout ! Nous aurons du ragoût...

Elle rit.

— C'est ce que j'appelle un repas de chien, fit-elle. Du moins, ça y ressemble : une bonne odeur et des pommes de terre, rien d'autre...

— C'est exactement ça !

Je pris mon étui à cigarettes et le présentai, ouvert, à Megan. Elle rougit.

— Merci ! dit-elle, refusant du geste. C'est très gentil de votre part !

J'insistai.

— Prenez-en une !

— Non, sincèrement. Mais c'est très gentil à vous de m'en offrir, comme si j'étais vraiment quelqu'un...

— Mais n'êtes-vous pas vraiment quelqu'un? répliquai-je, amusé.

De la tête, elle fit non. Puis, changeant le sujet de la conversation, elle me montra ses jambes couvertes de poussière et m'annonça fièrement qu'elle avait reprisé ses bas. Je ne suis pas une autorité en la matière, mais il me sembla que la réparation avait été faite avec une laine dont la couleur eût pu être plus heureusement choisie.

— Votre sœur sait-elle repriser? me demanda-t-elle ensuite.

Je fis un effort de mémoire avant d'avouer que je l'ignorais complètement.

— Alors, poursuivit-elle, que fait-elle quand elle a un trou à son bas?

— Je ne sais pas trop, répondis-je. Je suppose qu'elle en achète une autre paire.

— C'est évidemment très sage, dit-elle, mais je ne peux pas faire ça. J'ai, en tout et pour tout, quarante livres par an. On ne peut pas faire grand-chose avec ça !

J'en convins.

— Si je portais des bas noirs, ajouta-t-elle, je pourrais me mettre de l'encre sur les jambes. C'est ce que je faisais quand j'étais en classe et miss Batworthy, qui était myope comme une taupe, ne s'est jamais aperçue du truc. C'était très pratique !

— Je n'en doute pas.

Un silence suivit. Je fumais ma pipe et l'instant me semblait fort agréable.

— J'imagine, dit soudain Megan, avec une violence inattendue, que, comme tout le monde, vous me trouvez impossible ?

Ma surprise fut telle que j'ouvris la bouche. Ma pipe, une pipe d'écume magnifique, qui commençait à se culotter très harmonieusement, tomba par terre et se cassa.

— Regardez ce que vous avez fait ! m'écriai-je.

J'étais un peu fâché, mais les réactions de Megan étaient imprévisibles. Elle ne marqua de l'incident aucune contrariété et c'est avec un large sourire qu'elle me dit :

— Vraiment, vous, je vous aime bien !

Je reconnais que cet aveu me fit plaisir. Comme cette même phrase m'aurait fait plaisir si mon chien avait pu me la dire. Je pensai que Megan, tout en ressemblant à un cheval, avait des sentiments de caniche. Elle n'était pas tout à fait un être humain. Je ramassai soigneusement les morceaux de ma belle pipe.

— Que disiez-vous avant la catastrophe ? lui demandai-je, tandis que je les fourrais dans ma poche.

— Je disais que, comme tout le monde, vous deviez me trouver impossible ?

Le ton n'était plus le même.

— Et pourquoi ça ? fis-je.

— Parce que c'est la vérité, répondit-elle, très sérieusement.

Je l'invitai à ne pas dire de bêtises. Elle protesta.

— Je sais que c'est vrai. Je ne suis pas bête, comme les gens se le figurent. Ce qu'ils ne savent pas, c'est qu'au fond je sais parfaitement ce qu'ils sont, eux. Et c'est bien pourquoi *je les hais*.

— Vous les haïssez?

— Oui.

Elle soutint mon regard sans broncher. Il y avait dans ses yeux mélancoliques je ne sais quelle tristesse.

— Vous haïriez les gens aussi, ajouta-t-elle, si vous étiez comme moi, si vous aviez l'impression d'être *en trop*.

— Vous êtes sûre, lui demandai-je, que vous ne vous faites pas des idées? Vous ne feriez pas un peu de neurasthénie?

Elle haussa les épaules.

— Les gens vous disent toujours des choses de ce genre-là quand vous dites la vérité! Car c'est la vérité. Je suis « en trop » et je vois bien pourquoi! Maman ne m'aime pas. Probablement parce que je lui rappelle mon père, qui était méchant avec elle et qui, à ce qu'on m'a dit, n'était guère facile à vivre. L'ennui, c'est que les mères ne peuvent pas dire qu'elles ne veulent pas de leur enfant et s'en aller. La chatte mange ses petits, elle. Ce n'est pas bête. Ça ne fait pas d'histoires et il n'y a rien de perdu. Les mères des petits hommes doivent garder leurs enfants et s'occuper d'eux. Pour moi, ça a pu marcher aussi longtemps que j'ai été en pension, mais maintenant... Vous comprenez, ce que maman voudrait, c'est être toute seule, avec mon beau-père et ses deux fils!

— Je crois, Megan, dis-je lentement, que la situation est loin d'être aussi noire que vous la voyez. Mais je veux bien admettre qu'il y a un peu de vrai dans ce que vous dites. Aussi, pourquoi ne vous en allez-vous pas pour organiser votre vie ailleurs, comme vous l'entendrez?

Elle eut un pauvre sourire. Elle n'avait plus rien de l'enfant de tout à l'heure.

— Vous me demandez pourquoi je ne m'en vais pas? Comment vivrais-je?

— Vous gagneriez votre vie.

— En quoi faisant?

— Il y a bien des choses que vous pourriez apprendre. La comptabilité, la sténo...

— Je ne crois pas. Ce sont des choses à quoi je ne mords pas. Et puis...

Elle s'interrompit.

— Et puis?

Elle avait détourné la tête. Elle se décida enfin à me regarder de nouveau. Elle était toute rouge et il y avait des larmes dans ses yeux.

— Et puis, dit-elle, pourquoi m'en irais-je? On veut me forcer à partir, on ne veut plus de moi, mais je resterai! Je resterai, rien que pour les ennuyer! Ce sont de sales bêtes, tous, et je les déteste! Eux et tout Lymstock avec! Ils me trouvent stupide et laide! Je leur ferai voir! Je leur ferai voir! Je leur montrerai! Je...

Elle avait retrouvé sa voix d'enfant et sa colère avait cependant quelque chose de pathétique.

Quelqu'un marchait sur le gravier, encore caché par la maison.

— Levez-vous! lui dis-je brusquement. Rentrez par la salle à manger, montez au premier étage et allez à la salle de bains, au fond du couloir! Allez! Vite!

Elle bondit sur ses pieds. Elle venait à peine de

disparaître que Joanna tournait le coin de la maison.

— Dieu ! qu'il fait chaud ! s'écria-t-elle, s'asseyant près de moi, tout en s'éventant avec l'écharpe tyrolienne qu'elle venait de retirer de ses épaules. J'ai marché des kilomètres, histoire de montrer à ces satanées chaussures que c'est moi qui finirai par avoir la loi. J'ai pensé à une chose, Jerry. Je crois que nous devrions avoir un chien.

— C'est mon avis, dis-je. A propos, Megan déjeune avec nous.

— Ah ! Tant mieux !

— Tu l'aimes bien ?

— Oui. Elle me fait penser à ces enfants changés en nourrice dont on parle dans les contes. Elle est la pauvre petite créature abandonnée sur un pas de porte, qui doit remplacer l'enfant emporté par les fées, celui qui doit être heureux. Sur quoi, je monte à la salle de bains...

— Impossible. Megan s'y trouve en ce moment.

Joanna se rassit, prit un petit miroir de poche et contempla longuement son visage.

— Ce rouge à lèvres ne me plaît pas, décréta-t-elle, après un sérieux examen.

Megan revenait. Elle était calmée, un peu plus propre que tout à l'heure, tout à fait redevenue elle-même. Elle regarda Joanna qui, sans cesser pour autant de s'étudier dans sa glace minuscule, lui souhaita la bienvenue, ajoutant :

— Vous avez très bien fait de venir déjeuner avec nous !

Elle fronça le sourcil et s'écria, désolée :

— J'ai des taches de rousseur sur le nez ! Il va falloir que je voie ça de près ! Ça fait campagne et écossais, je ne veux pas de ça !

Mary apparut sur le haut du perron. Elle annonça que madame était servie.

— Allons-y ! dit Joanna, se levant. Je meurs de faim.

Elle passa son bras sous celui de Megan et l'entraîna vers la salle à manger.

CHAPITRE V

I

Je m'aperçois que j'ai commis une sérieuse omission. Je n'ai pour ainsi dire pas parlé encore de Mrs. Dane Calthrop, non plus que du révérend Cleb Dane Calthrop.

Et pourtant, le Révérend et sa femme étaient personnages d'importance. Je n'ai sans doute jamais rencontré d'homme qui fût, plus que Dane Calthrop, éloigné des réalités quotidiennes. Sa vie, c'était ses livres, son cabinet de travail, son intime connaissance de l'histoire de l'Eglise. Mrs. Dane Calthrop, par contre, était terriblement au fait de tout et, si je ne l'ai pas mentionnée plus tôt, c'est peut-être parce qu'au début elle m'effraya un peu. C'était une femme de tête, dont les connaissances avaient quelque chose d'encyclopédique. Pas du tout la femme d'un ministre du culte telle qu'on peut l'imaginer. Il est vrai, je m'en avise en écrivant, que je ne sais pas grand-chose des femmes de ministres du culte...

La seule dont je me souvienne était une créature tranquille, qui n'offrait rien de remarquable et qui vivait dans l'adoration d'un époux solide, dont la parole, quand il prêchait, avait quelque chose de magnétique. Quant à elle, elle parlait si peu que c'était un véritable problème de soutenir une conversation avec elle.

De sorte que, sur ces dignes épouses, je n'avais d'autres idées que celles que je devais aux romanciers, qui les représentent volontiers comme des dames assez portées à se mêler de ce qui ne les regarde pas et à énoncer des lieux communs d'une constante banalité. Imagination pure, c'est probable.

Mrs. Dane Calthrop ne s'occupait jamais de ce qui ne la regardait pas, ce qui ne l'empêchait pas d'être au courant de tout. Je l'appris dès le lendemain de mon arrivée, découvrant du même coup que les gens du village la redoutaient un peu. Elle ne donnait pas de conseil et ne se mêlait de rien, mais sans doute représentait-elle, pour les consciences troublées, la Divinité personnifiée.

Je n'ai jamais vu de créature plus indifférente aux contingences. Par les fortes chaleurs, il lui arrivait très bien de mettre, pour aller se promener, une solide jupe de tweed. En revanche, je me souviens l'avoir rencontrée vêtue d'une petite robe de tissu imprimé un jour qu'il pleuvait à torrents. Elle avait le visage fin et allongé d'un lévrier de race et une dangereuse sincérité de langage.

Elle m'arrêta dans High Street le lendemain du jour où Megan avait déjeuné avec nous. J'en fus quelque peu surpris, d'abord parce que Mrs. Dane Calthrop avait l'habitude de se déplacer en courant bien plutôt qu'en marchant, ensuite parce que, comme elle regardait toujours très loin devant elle, on n'avait jamais l'impression qu'elle vous avait aperçu.

— Ah ! s'écria-t-elle. Monsieur Burton !

Elle avait dit cela d'un air triomphant, comme quelqu'un qui vient de résoudre un problème très difficile.

J'admis que j'étais bien Mr. Burton et Mrs. Dane Calthrop, cessant de fixer l'horizon, se mit à me contempler.

— Pourquoi diable voulais-je tant vous voir ? fit-elle, perplexe.

J'avouai que je n'en savais rien.

— C'était, poursuivit-elle, à propos de quelque chose de très désagréable.

— J'en suis navré !

— J'y suis ! C'est au sujet de ces lettres anonymes. Qu'est-ce que c'est donc que cette histoire de lettres anonymes que vous avez mise en circulation ?

Je protestai que je ne l'avais pas inventée et qu'elle existait déjà avant mon arrivée.

— Pourtant, dit-elle, accusatrice, personne n'en avait reçu auparavant.

— Excusez-moi, répliquai-je. Je suis sûr que, sur ce point, vous êtes mal informée.

— Ah ! fit-elle. Quoi qu'il en soit, cette affaire-là ne me plaît pas.

Les yeux à l'autre bout de la rue, elle continua :

— Il y a dans tout ça quelque chose d'anormal. Les gens du pays ne sont pas de ceux qui envoient des lettres anonymes. Ils sont envieux, il ne faut pas compter sur leur bienveillance, ils ont tous les petits défauts qu'on peut imaginer, mais aucun d'eux ne me paraît capable de faire ça ? Et si l'un d'eux commettait cette infamie, *je devrais* le savoir !

Elle avait l'air très sincèrement ennuyée.

— Et pourquoi devriez-vous le savoir? demandai-je.

— Parce que c'est mon rôle. Caleb enseigne la bonne parole et administre les saints sacrements. C'est son devoir de ministre du culte. Mais, si vous admettez qu'un prêtre se marie, vous devez convenir que c'est le devoir de sa femme de savoir ce que pensent ses ouailles, ce qu'elles ressentent même si cela ne doit servir à rien. Or, je n'ai pas la moindre idée de qui peuvent provenir ces lettres!... Elles sont, d'ailleurs, ridicules.

— En avez-vous reçu vous-même?

— Mais oui! Deux... Trois, même!... J'ai oublié ce qu'elles disaient exactement. Des bêtises à propos de Caleb et de la maîtresse d'école. De pures inepties, quand on connaît Caleb. Cet homme-là aurait été un saint s'il n'avait pas été si intelligent!

J'approuvai d'un hochement de tête.

— Il y avait bien d'autres choses à raconter, reprit-elle, mais l'auteur des lettres n'y a pas pensé. C'est même ce qui me semble curieux.

— L'inconnu qui les écrit, dis-je amèrement, paraît pourtant peu soucieux de ménager ses correspondants!

— Oui, mais *il a l'air de ne rien savoir*. Du moins de ne pas savoir ce qu'on pourrait dire...

— Comment cela?

Son regard chercha le mien.

— Eh bien! fit-elle, il y a beaucoup d'adultères dans le pays, beaucoup de vilaines affaires aussi... Les lettres n'y font jamais allusion. Pourquoi?

Elle marqua une courte pause avant de me demander brutalement ce qu'il y avait dans la lettre que j'avais reçue.

Elle affirmait, répondis-je, que ma sœur n'était pas ma sœur.

— Et elle l'est?

Le ton était celui d'un amical intérêt.

— Certes! m'écriai-je. Joanna est bien ma sœur!

— C'est bien la preuve que j'ai raison, remarqua-t-elle. Il aurait pu trouver autre chose...

Mrs. Dane Calthrop secoua la tête d'un air songeur.

Elle me considérait avec attention et je compris soudain pourquoi les gens de Lymstock avaient un peu peur de la femme du Révérend. Elle devait vraiment connaître tous les petits secrets de la localité.

Aussi est-ce avec joie que j'entendis dans mon dos la voix chaleureuse d'Aimée Griffith, interpellant mon interlocutrice.

— Bonjour, Maud! s'écriait-elle. Je suis ravie de vous rencontrer. Je voulais vous proposer un changement de date pour notre vente de charité. Bonjour, monsieur Burton.

Sans me laisser le temps d'articuler un mot, elle ajouta :

— J'entre chez l'épicier, je passe ma commande et je vous retrouve.

— Entendu! lança Mrs. Dane Calthrop.

Aimée disparue, elle murmura :

— Pauvre fille!

J'étais un peu surpris. Etait-il possible qu'elle eût pitié d'Aimée ?

Mais elle revenait à d'autres préoccupations.

— Oui, vraiment, monsieur Burton, j'ai un peu peur.

— Vous pensez à ces lettres ?

— Oui. Elles semblent prouver...

Elle hésitait, comme quelqu'un qui se trouve aux prises avec un problème difficile.

— Elles semblent prouver, reprit-elle lentement, qu'il y a dans Lymstock un être que dominent des sentiments de haine, un être qui peut-être frappe au hasard, mais qui peut, sans même s'en douter, toucher juste quelque jour... Et, alors, monsieur Burton, je vous le demande, qu'arrivera-t-il?

Nous n'allions pas tarder à le savoir.

II

C'est Mary qui nous apporta la nouvelle du drame. Non sans une certaine satisfaction. Elle avait le goût des catastrophes et il y avait toujours une sorte d'extase sur sa physionomie quand elle avait de mauvaises nouvelles à vous apprendre.

Elle entra dans la chambre de Joanna, les yeux brillants et la bouche douloureuse, et c'est tout en tirant les rideaux qu'elle annonça qu'il y avait, ce matin-là, des nouvelles affreusement tristes. Demeurée fidèle à ses habitudes de Londres, ma sœur avait toujours besoin au réveil d'une minute ou deux pour prendre conscience de ce qui se passait autour d'elle. Elle grogna un « ah? » indifférent et se retourna sous ses draps.

Mary, posant le plateau du thé sur la table de chevet, insistait :

— C'est horrible ! Quand on me l'a dit, je ne voulais pas le croire !

Joanna, luttant encore pour s'arracher au sommeil s'enquit de ce qui était horrible.

— C'est cette pauvre Mrs. Symmington, répondit Mary.

Ménageant ses effets, elle s'interrompit trois secondes avant d'ajouter :

— Elle est morte !

— Morte?

Joanna, maintenant, était tout à fait réveillée.

— Oui, mademoiselle. Elle est morte hier après-midi... Et, le pire, c'est qu'elle s'est suicidée !

— Non?

Joanna était abasourdie. Mrs. Symmington n'était pas de ces gens qu'on imagine associés à une tragédie.

— C'est comme je vous le dis, mademoiselle ! Elle s'est suicidée... Et la pauvre femme, on peut dire qu'on l'y a forcée !

Joanna entrevit la vérité.

— Vous ne voulez pas dire, Mary, que...

Elle n'acheva pas sa phrase. Ses yeux interrogeaient Mary, qui répondit d'un signe de tête.

— Oui, mademoiselle, vous avez deviné. C'est une de ces saletés de lettres !

— Que disait-elle?

A son grand regret, Mary dut avouer qu'elle n'en savait rien.

— Ce sont des infamies, affirma Joanna avec force. Mais je ne comprends pas qu'elles poussent quelqu'un au suicide.

Mary renifla et répliqua d'un air entendu :

— Non, *à moins qu'elles ne disent la vérité* !

Mary partie, Joanna avala sa tasse de thé, enfila sa robe de chambre et vint me communiquer la nouvelle. Je pensai immédiatement à ce que m'avait dit Owen Griffith. Un jour ou l'autre, c'était fatal, le coup devait porter juste. C'est ce qui était arrivé avec Mrs. Symmington. Cette femme qu'on pouvait croire irréprochable, avait un secret. Elle n'était pas bonne, mais elle manquait de ressort. Maladive, anémique, elle n'avait pas supporté le choc...

Joanna me donna un petit coup de coude et me demanda à quoi je rêvais. Je lui fis part de la réflexion d'Owen.

— Naturellement, dit-elle d'un petit ton pointu. Il devait savoir où l'auteur des lettres voulait en venir ! Ce bonhomme-là s'imagine tout connaître...

— Il est très fin...

— Il est surtout prétentieux... Très prétentieux...

Après un instant, elle ajouta :

— C'est terrible pour son mari et pour la petite... Comment crois-tu que Megan va prendre ça ?

Je reconnus que je n'en avais pas la moindre idée et je remarquai qu'il était même assez curieux que je ne fusse jamais capable de dire ce que Megan pouvait penser ou ressentir.

Il y eut un silence, puis Joanna reprit :

— Crois-tu... Est-ce qu'il te plairait... Je me demande si elle n'aimerait pas venir passer un jour ou deux avec nous !... A son âge, un coup pareil, c'est dur !

— Nous pouvons toujours le lui proposer, dis-je.

— Pour les petits, poursuivit Joanna, il n'y a pas de difficultés. Ils ont leur gouvernante. Mais c'est justement le genre de femme qui, dans de telles circonstances rendrait une fille comme Megan complètement folle !

Je déclarai que c'était bien là mon avis. Je me représentai Elsie Holland répétant à longueur de jour les mêmes désolantes banalités et proposant à Megan de se remonter avec d'innombrables tasses de thé. Une brave fille, bien sûr, mais incapable de

comprendre une créature aussi sensible que Megan.
J'avais moi-même songé à inviter la jeune fille à
venir passer quelques jours près de nous et j'étais
très content que Joanna eût la même idée.

Nous nous rendîmes chez les Symmington aussitôt après le petit déjeuner. Nous étions tous deux
un peu nerveux, craignant que notre visite ne fût
imputée à une curiosité malsaine. Par chance,
Owen Griffith sortait de la maison comme nous y
arrivions. Il avait l'air sombre et préoccupé.

— Bonjour, Burton, me dit-il, avec une cordialité qui me frappa. Je suis heureux de vous voir.
Ce que j'avais prédit est arrivé ! C'est bien triste !

— Bonjour, docteur Griffith !

Cette phrase, Joanna l'avait prononcée sur le ton
dont elle usait quand elle s'adressait à la plus
sourde de nos vieilles tantes. Il eut un haut-le-
corps et, rougissant, rendit son bonjour à ma sœur,
qui dit très simplement :

— Je croyais que vous ne m'aviez pas vue.

Il rougit plus encore.

— C'est exact, balbutia-t-il. J'étais préoccupé...
Je ne vous avais pas aperçue...

Impitoyable, elle répliqua :

— Pourtant, je suis grandeur nature...

Je la foudroyai du regard.

— Mon cher Griffith, dis-je, nous nous demandions, ma sœur et moi, si ce ne serait pas une
bonne chose que de prendre Megan avec nous pour
un jour ou deux. Qu'en pensez-vous ? Je voudrais pas avoir l'air de m'occuper de ce qui ne me
concerne pas, mais les jours prochains vont être
si tristes pour cette enfant... Pensez-vous que cette
proposition puisse heurter Symmington ?

Il s'accorda le temps de la réflexion avant de
répondre.

— Je crois, fit-il, que c'est là une excellente idée. C'est une petite extrêmement impressionnable et il serait très bien de l'éloigner un peu. Miss Holland se multiplie, elle ne perd pas la tête, mais elle a bien assez à faire avec les enfants et avec Symmington lui-même. Le pauvre homme est anéanti... Assommé !

— Il s'agit bien... d'un suicide ? demandai-je.

— Aucun doute possible. Elle a laissé un petit bout de papier sur lequel elle avait écrit les mots : « Ce n'est plus possible !... » La lettre a dû arriver hier, au courrier de l'après-midi. On a retrouvé l'enveloppe par terre, à côté de son fauteuil, et la lettre roulée en boule, dans le foyer de la cheminée où elle l'avait jetée.

— Qu'est-ce qui a bien pu...

Je m'arrêtai, un peu effrayé de l'audace de ma question, et je m'excusai d'avoir seulement songé à la poser.

— Oh ! fit Griffith avec un sourire amer, la question n'est pas indiscrète. La lettre sera lue à l'enquête, il est impossible de l'éviter et c'est bien dommage ! Elle contient les ignominies ordinaires, formulées dans l'ignoble style que vous savez. En l'occurrence, elle accusait Colin, le second des petits, de ne pas être le fils de Symmington.

— Croyez-vous que ce soit vrai ? dis-je, incrédule.

Griffith haussa les épaules.

— Je ne suis ici que depuis cinq ans et je ne puis rien affirmer. Autant que je puisse en juger, les Symmington formaient un couple uni et heureux. Il est entendu que le petit Colin ne ressemble guère à son père, ne serait-ce que parce qu'il est roux, mais cela ne prouve rien. Il arrive souvent

que les enfants tiennent plus de leurs grands-
parents que de leurs parents.

— Il est probable, remarquai-je, que c'est ce
défaut de ressemblance entre le père et l'enfant qui
a décidé l'auteur de la lettre à lancer son accusation. Il n'était sûr de rien, mais il pouvait toujours
risquer le coup...

— C'est assez mon avis, dit Griffith. L'auteur
des lettres n'articulé aucun fait précis. On sent
qu'il frappe au hasard...

— Et il se trouve parfois qu'il touche juste,
observa Joanna. Car enfin, s'il n'avait pas dit la
vérité elle ne se serait pas tuée !

— Je n'en suis pas sûr, répliqua Griffith. Depuis
quelque temps, elle se portait assez mal et faisait
de la neurasthénie. Je lui soignais les nerfs et il
est très possible, à mon humble avis, qu'elle ait, à
la lecture de cette lettre odieuse, reçu un choc qui
l'aura laissée dans un état de dépression physique
et morale tel qu'il était assez normal qu'elle déci-
dât d'en finir avec la vie. Elle peut s'être dit que
jamais son mari ne la croirait si elle essayait de lui
démontrer la fausseté de l'accusation portée contre
elle et je croirais assez volontiers qu'elle s'est
donné la mort dans une crise de désespoir, alors
qu'elle n'était plus elle-même.

— C'est, dit Joanna, ce que les gens de loi
appellent, je crois, un « suicide dans un moment
de folie temporaire ».

— Exactement, fit Griffith. Je pense que je serai
en droit de soutenir cette hypothèse à l'enquête.

— Je vois !

Joanna avait dit ces deux mots sur un tel ton
que Griffith, piqué, répliqua un peu sèchement :

— Ce sera parfaitement mon droit. Vous n'êtes
pas de cet avis?

— Mais si ! répondit Joanna. A votre place, j'agirais comme vous vous proposez de le faire !

Il la considéra un instant, comme pour deviner le fond de sa pensée, puis, prenant rapidement congé, il s'éloigna. Nous entrâmes dans la maison, dont la porte était ouverte, ce qui nous évita de sonner. A l'intérieur, on entendait la voix de miss Holland.

Elle parlait à Mr. Symmington qui, tassé dans son fauteuil, avait l'air complètement absent.

— Je vous assure, monsieur Symmington, lui disait-elle, que vous devez prendre quelque chose. Vous n'avez pour ainsi dire pas pris de petit déjeuner et vous n'aviez déjà pas dîné hier soir ! Avec toutes ces émotions, si vous ne mangez pas, vous tomberez malade, alors que vous avez besoin de toutes vos forces. Le docteur l'a dit avant de partir.

Symmington répondait d'une voix sans timbre :

— Vous êtes très gentille, miss Holland, mais...

— Prenez une tasse de thé bien chaud !

Elle la lui présentait avec autorité. Je pensai à part moi que, personnellement, c'est un solide whisky que j'aurais offert au pauvre diable, car il me paraissait en avoir besoin. Pourtant, il accepta le breuvage brûlant.

— Je vous remercie, miss Holland, dit-il, levant sur elle des yeux pleins de reconnaissance, de tout ce que vous avez fait et de tout ce que vous faites encore pour nous. Vous êtes tout simplement admirable.

Elle rougit, flattée et contente.

— C'est très gentil à vous de dire ça, monsieur Symmington, répondit-elle. Ce que je vous demande, c'est de me permettre de me rendre utile. Ne vous inquiétez pas des enfants, je m'occuperai d'eux. J'ai remis les domestiques au travail. S'il y a des lettres à écrire, des coups de téléphone à donner, n'hésitez pas à user de moi !

Se retournant, elle nous aperçut. Elle vint immédiatement au-devant de nous, dans le hall. Je la regardais et je me répétais qu'elle était décidément très jolie. Ses yeux bleus étaient magnifiques et ses paupières, légèrement rouges, montraient qu'elle avait eu assez de cœur pour verser quelques larmes sur la mort de Mrs. Symmington.

— Pourrais-je vous parler une minute? demanda Joanna. Je ne voulais pas déranger Mr. Symmington.

Elsie Holland approuva cette réserve d'un hochement de la tête entendu et nous fit entrer dans la salle à manger.

— Pour Mr. Symmington, expliqua-t-elle, le coup a été terrible. Tellement inattendu ! Qui pouvait prévoir une chose pareille? Bien sûr, je me rends parfaitement compte maintenant que, depuis quelque temps, elle était bizarre, nerveuse et toujours sur le bord des larmes. Je croyais que c'était à cause de son état de santé, bien que le docteur Griffith ait toujours déclaré qu'elle se portait le mieux du monde. Elle était devenue très irritable et il y a des jours où on ne savait comment la prendre. Mais...

Joanna l'interrompit.

— Ce qui nous amène, dit-elle, c'est ceci : Megan ne pourrait-elle pas venir vivre avec nous pendant quelques jours? Cela, bien entendu, si ça lui fait plaisir...

La proposition paraissait étonner Elsie Holland.

— Megan? fit-elle. Ma foi, je n'en sais trop rien !... C'est évidemment très gentil de votre part, mais c'est une fille tellement étrange ! On ne sait jamais comment elle va prendre les choses...

— Nous pensions, dit Joanna, que cela pourrait rendre service...

— Et c'est bien vrai ! s'écria Elsie. Il faut que je m'occupe des petits — ils sont avec la cuisinière pour le moment — et aussi de ce pauvre Mr. Symmington, qui en a besoin autant que n'importe qui, il faut que je veille en outre à un tas de choses... De sorte que je n'ai guère de temps à consacrer à Megan. Je crois qu'elle est en haut, au dernier étage, dans la vieille chambre d'enfants. Elle a l'air de fuir tout le monde. Je ne sais si...

Je n'entendis pas la suite. Joanna m'avait fait de l'œil, un signe quasi imperceptible, et j'étais discrètement sorti de la pièce. Je montai l'escalier et, tout en haut, trouvai la porte de la vieille nursery. Je la poussai. Dans la salle à manger, comme les fenêtres ouvraient sur le jardin, les stores n'étaient pas baissés. Il n'en était pas de même ici, où elles donnaient sur la route, et la pièce était plongée dans une demi-obscurité. J'aperçus Megan, tapie dans le coin d'un divan. Elle semblait paralysée par la peur. Elle me fit songer à un animal terrifié, blotti au fond d'une retraite qu'il sait précaire.

— Megan ! dis-je doucement.

J'avançai vers elle et, sans m'en rendre compte, j'adoptai pour lui parler le ton qu'on prend quand on veut rassurer une bête effrayée. Au point que je m'étonnai presque de ne pas tenir à la main une carotte ou un morceau de sucre.

Elle me regardait, immobile. Rien n'indiquait que ma présence lui fût agréable.

— Megan, repris-je, Joanna et moi, nous sommes venus vous demander si vous aimeriez venir chez nous pendant un certain temps.

Elle répondit d'une voix sourde :

— Aller chez vous? Dans votre maison?

— Oui.

— Vous m'emmèneriez d'ici? Vraiment?

— Oui, mon petit !

Elle fut prise d'un tremblement. La scène était pitoyable et émouvante.

— Oh ! Emmenez-moi, je vous en prie ! Si vous saviez comme c'est terrible d'être ici et de se sentir si méchante !

Ses mains s'accrochaient à la manche de mon veston.

— J'ai peur ! reprit-elle. Je ne me savais pas si méchante !

— Taisez-vous donc, grande bête ! répondis-je en affectant de rire. Des événements pareils, ça vous détraque ! Levez-vous et venez avec moi !

— Nous nous en allons tout de suite?

— Le temps de prendre vos affaires et on s'en va !

— Quelles affaires?

— Ma chère enfant, dis-je, nous pouvons vous offrir un lit, une salle de bains et tout ce qui va avec, mais je veux être pendu si je vous prête ma brosse à dents !

Son visage se détendit et elle rit faiblement.

— C'est vrai, fit-elle. Je suis complètement idiote, aujourd'hui. Ne faites pas attention ! Je vais prendre deux ou trois petites choses. Vous m'attendrez?... Vous... Vous me promettez de ne pas partir sans moi?

— Je resterai sur le paillasson.

— Merci !... Pardonnez-moi ! Je suis stupide !... Mais, vous savez, la mort de votre maman, c'est terrible !

— Je sais.

Je lui administrai une petite tape amicale sur

l'épaule, elle me gratifia d'un regard plein de grati-
tude et nous quittâmes la pièce. Tandis qu'elle
s'arrêtait dans sa chambre, je descendis au rez-de-
chaussée.

— J'ai vu Megan, annonçai-je. Elle vient avec
nous.

— Eh bien ! s'écria Elsie Holland, voilà une excellente chose. Le changement lui fera du bien.
C'est une fille plutôt nerveuse, assez difficile, vous
savez ! Pour moi, ce sera un grand soulagement de
ne pas l'avoir ici à un moment où j'ai tant à faire !
Je vous remercie encore, miss Burton, et j'espère
qu'elle ne sera pas insupportable ! Pardonnez-moi,
j'entends la sonnerie du téléphone. Il faut que
j'aille répondre. Mr. Symmington n'est pas en état
de le faire !

Elle sortit de la salle à manger.

— C'est décidément le bon ange qui s'occupe de
tout, remarqua Joanna.

— Tu es rosse et injuste, dis-je. C'est une jolie
fille, très gentille et très capable.

— Très. Mais elle le sait.

— Je ne te reconnais pas, Joanna.

— Tu veux dire qu'il n'y a aucune raison pour
qu'elle ne s'occupe pas de tout comme elle le fait ?

— Exactement.

— Possible ! Mais, moi, je n'ai jamais pu souffrir les gens qui sont satisfaits d'eux-mêmes ! Ils
réveillent instantanément mes plus mauvais ins-
tincts. Comment as-tu trouvé Megan ?

— Tapie dans une chambre obscure et ressemblant à une gazelle morte de peur.

— Pauvre gosse ! Elle ne s'est pas fait prier pour
venir ?

— Du tout ! Elle m'aurait embrassé !

Le bruit d'un coup lourd heurtant des marches

nous avertit que Megan descendait l'escalier. J'allai vivement à sa rencontre et la débarrassai de sa valise. Joanna venait sur mes talons.

— Dépêchez-vous ! souffla-t-elle. J'ai déjà refusé deux fois une bonne tasse de thé bien chaud !

Nous sortîmes. J'éprouvai quelque ennui d'être obligé de laisser Joanna jeter la valise dans la voiture, mais si je pouvais marcher en ne m'aidant plus que d'une seule canne, il ne fallait pas encore me demander d'exploits athlétiques.

Je montai derrière Megan. Joanna mit la voiture en route et nous rentrâmes à « Little Furze ». A peine arrivée au salon, Megan se laissa tomber dans un fauteuil et fondit en larmes. Elle pleurait comme un petit enfant. Une fontaine. Je quittai la pièce pour aller chercher un remède auquel je venais de penser. Joanna restait auprès de Megan, désolée, avec le sentiment de son impuissance.

J'entendis Megan dire entre deux sanglots :

— J'ai honte ! Je dois vous paraître idiote !

Ma sœur la rassurait gentiment :

— Mais non ! Tenez, prenez ce mouchoir !

Je revins bientôt avec un verre plein jusqu'aux bords que je présentai à Megan.

— Qu'est-ce que c'est?

— Un cocktail.

— Vraiment?

Ses larmes s'étaient taries du coup. Elle ajouta :

— Je n'en ai jamais bu.

— Il faut bien commencer un jour, répliquai-je.

Elle porta le verre à ses lèvres avec précaution, commença à boire lentement, un sourire éclaira son visage et, renversant la tête en arrière, elle lampa d'un trait le reste du liquide.

— C'est délicieux, déclara-t-elle. Je peux en avoir un autre?

— Non, répondis-je.

— Pourquoi?

— J'ai idée que vous le saurez d'ici une dizaine de minutes.

Megan, un peu choquée, reporta son attention sur Joanna.

— Vraiment, lui dit-elle, je m'en veux de vous avoir ennuyée avec ma crise de larmes. Je ne sais pas ce qui m'a prise! C'est d'autant plus stupide que je suis absolument ravie d'être ici.

— Ne parlons pas de ça! répondit Joanna. C'est nous qui sommes très contents de vous avoir.

— Je sais bien que ce n'est pas possible, fit Megan, et que c'est pure gentillesse de votre part. C'est pourquoi je vous suis si reconnaissante!

— Vous me gêneriez infiniment, répliqua Joanna, si vous continuez à parler de reconnaissance. Jerry et moi, nous sommes très contents de vous avoir, je l'ai dit et c'est la vérité. Nous avons, lui et moi, épuisé tous nos sujets de conversation et nous ne savons plus quoi nous dire!

— Tandis que, maintenant, ajoutai-je, nous allons pouvoir discuter de choses intéressantes. A commencer par Goneril et Ragan...

Un éclair passa dans les yeux de Megan.

— J'ai pensé à elles depuis l'autre jour, dit-elle, et je crois que je connais la réponse. Si elles étaient comme elles étaient, c'est parce que leur vieille horreur de père exigeait d'elles trop de courbettes et de flatteries. Quand il faut que vous soyez tout le temps à dire merci et à raconter aux gens qu'ils sont gentils, magnifiques et tout, ça finit par vous rendre mauvais à l'intérieur! Rien que pour changer, vous souhaitez avec impatience qu'un jour vienne où vous pourrez être méchant. Et alors, quand l'occasion se présente, ça vous tourne un peu la tête et vous allez plus loin que vous n'aviez voulu... D'ailleurs, le vieux Lear était un sale type et je donne tout à fait raison à Cordelia. Il n'a eu que ce qu'il méritait !

— Je vois, répondis-je, que nous aurons, à propos de Shakespeare, de passionnantes controverses.

— Je vois surtout, remarqua Joanna, que je vais avoir affaire à deux redoutables intellectuels. J'avoue que j'ai toujours trouvé Shakespeare terriblement morne, avec des scènes qui n'en finissent pas, où tout le monde est ivre et est supposé avoir de l'esprit.

Je me tournai vers Megan.

— A propos, lui demandai-je, comment vous sentez-vous?

— On ne peut mieux, merci !

— Pas un peu étourdie? Vous ne voyez pas deux Joanna ou quelque chose comme ça?

— Non. Je suis très bien. Il me semble que j'aimerais parler, parler, à n'en plus finir !

— Bravo ! m'écriai-je. La conclusion est évidente : vous êtes construite pour supporter la boisson. Ceci, bien entendu, si c'était vraiment votre premier cocktail...

— Ça, vous pouvez en être sûr !

— Alors, bravo ! Une tête solide, c'est un bel atout dans l'existence !

Joanna se leva et emmena Megan dans sa chambre, pour défaire sa valise.

Peu après, Mary venait me trouver, très ennuyée. Pour le déjeuner, elle avait fait de la crème, mais pour deux personnes seulement. Comment allait-on pouvoir arranger ça?

CHAPITRE VI

I

L'enquête eut lieu trois jours plus tard. Elle fut menée avec beaucoup de tact, mais on ne put empêcher un public nombreux d'assister à l'audience.

Il fut établi que Mrs. Symmington était morte entre trois et quatre heures de l'après-midi. Elle se trouvait seule dans la maison. Symmington était à l'étude, les femmes de chambre prenaient leur jour de congé, ainsi que les autres domestiques, Elsie Holland menait les petits en promenade et Megan était sortie à bicyclette.

La lettre avait dû arriver au courrier de l'après-midi, Mrs. Symmington l'avait probablement prise dans la boîte, l'avait lue, puis, dans un état d'extrême agitation, était allée dans la baraque du jardin pour y chercher un peu du cyanure dont on se servait pour détruire les nids de guêpes, l'avait fait dissoudre dans un verre d'eau, qu'elle avait absorbé après avoir griffonné sur un morceau de papier les mots : « Ce n'est plus possible ! »

Owen Griffith déposa, complétant ses conclusions de médecin légiste par un exposé dans lequel il développa le point de vue dont il nous avait, à ma sœur et à moi, indiqué les grandes lignes. Mrs. Symmington avait les nerfs malades et son état de santé laissait beaucoup à désirer. Le procureur du roi se montra d'une discrétion d'homme du monde. Il flétrit en termes sévères l'odieuse conduite de l'auteur des lettres anonymes, lequel pouvait se considérer comme directement responsable de la mort de Mrs. Symmington, et, par conséquent, comme coupable d'un meurtre. Il espérait que la police le démasquerait avant longtemps et que la main de la Justice s'appesantirait sur lui, lui réservant le juste châtiment qu'il méritait. Sur ses indications, le jury rapporta le verdict attendu. Mrs. Symmington s'était donné la mort dans un moment de folie.

Le procureur du roi avait fait de son mieux. Owen Griffith également. Mais, un peu plus tard, pressé dans la foule compacte des commères du village, j'entendis à différentes reprises les mêmes phrases, murmurées de bouche à oreille, des phrases exaspérantes que je commençais à bien connaître :

— Il n'y a pas de fumée sans feu, voilà ce que je dis !... Sûr et certain qu'il y avait quelque chose ! Sans ça, elle ne se serait pas supprimée !

Je rentrai à la maison, détestant Lymstock, sa mentalité étroite et ses malveillantes commères.

II

Il est malaisé de se rappeler les faits dans leur ordre chronologique exact. L'événement important

qui suivit fut évidemment la visite du commissaire
Nash, mais c'est avant sa venue, si je me souviens bien, que se placent quelques entretiens que
je veux rapporter, pour les lumières qu'ils projet-
tent sur quelques-uns des personnages mêlés à
l'affaire.

Aimée Griffith vint à la maison le lendemain de
l'enquête, dans la matinée. Comme toujours, elle
éclatait de santé et de vigueur et, comme toujours,
elle me hérissa le poil dès son arrivée. En l'absence
de Joanna et de Megan, j'avais dû la recevoir.

— J'ai appris, me dit-elle, les bonjours échangés,
que Megan Hunter était chez vous.

— C'est exact, fis-je.

— Voilà, poursuivit-elle, qui est très bien de
votre part. J'imagine qu'elle vous ennuie passablement et je suis venue vous voir pour vous dire
qu'elle peut venir chez nous, si vous voulez. Je suis
convaincue que je trouverai le moyen qu'elle se
rende utile dans la maison.

Je considérai Aimée Griffith avec dégoût.

— Vous êtes vraiment trop bonne, répondis-je.
Mais nous sommes très heureux de l'avoir ici et je
crois qu'elle arrive à occuper ses journées.

— Je n'en doute pas! Mais, enfin, c'est une
enfant un peu arriérée...

— Moi, je la trouve plutôt intelligente !

Aimée Griffith posa sur moi un regard stupéfait.

— C'est la première fois que j'entends dire ça !
s'écria-t-elle. Voyons ! Quand vous lui parlez, elle
regarde dans le vague comme si elle ne comprenait
pas ce que vous lui dites !

— Probablement parce que ça ne l'intéresse pas !

— Alors, elle est très impolie !

— Ça, c'est possible. Mais ça n'a rien à voir
avec son intelligence.

— Quoi qu'il en soit, reprit Aimée Griffith d'une voix pointue, ce qu'il faut à Megan, c'est une occupation, quelque chose qui lui créera un intérêt dans l'existence. Pour une fille, ça fait une différence énorme. Je les connais bien. Vous ne pouvez pas savoir, par exemple, le changement radical qui s'opère chez une jeune fille du seul fait qu'elle appartient à une compagnie de Guides. Megan est trop vieille pour perdre son temps en futilités et ne rien faire !

— Elle aurait eu bien de la peine de faire autrement, remarquai-je. Sa mère la traitait comme si elle avait toujours eu douze ans !

Aimée Griffith émit une sorte de ronflement.

— Je sais, et c'est une attitude que je n'ai jamais approuvée. La pauvre femme est morte, maintenant, et je ne veux pas médire d'elle. Mais il faut bien reconnaître qu'elle était un exemple parfait de la femme inintelligente. Elle ne connaissait que le bridge, les potins et ses enfants, dont la gouvernante était d'ailleurs à peu près seule à s'occuper. Je dois avouer que je n'ai jamais eu une très bonne opinion de Mrs. Symmington, encore que je n'aie jamais soupçonné la vérité !

— La vérité ?

Elle rougit.

— Qu'il ait fallu étaler toutes ces turpitudes à l'enquête, cela m'a fait beaucoup de peine pour Dick Symmington. Vraiment, pour lui, c'est terrible !

— Mais, objectai-je, ne lui avez-vous pas entendu dire qu'il n'y avait pas un mot de vrai dans cette lettre, qu'il en était absolument sûr ?

— Il ne pouvait pas faire autrement ! Un homme doit défendre la mémoire de sa femme. C'est ce qu'il a fait !

Elle ajouta, après un silence de quelques secondes :

— Vous comprenez, il y a longtemps que je connais Dick Symmington.

Cette déclaration m'étonnait.

— Il me semblait, fis-je, que votre frère m'avait dit qu'il s'était installé ici il y a quelques années seulement.

— C'est exact. Seulement, Dick Symmington venait souvent dans le Nord, dans la région où nous habitions, et nous sommes de vieux amis.

Les hommes sont moins rapides que les femmes dans leurs conclusions. Pourtant, la douceur que je crus à ce moment remarquer dans la voix d'Aimée me donna à penser. Sur le même ton, elle poursuivit :

— Je le connais admirablement. Il est très fier, très réservé, mais il est susceptible d'être très jaloux.

— Ce qui expliquerait que sa femme ait eu peur de lui montrer la lettre qu'elle avait reçue ou de lui en parler. Sans doute craignait-elle que sa jalousie lui fît croire qu'elle était coupable ?

Mécontente, miss Griffith me dévisagea avec mépris.

— Enfin, s'écria-t-elle, croyez-vous qu'il y a une femme au monde qui ira s'empoisonner parce qu'on l'accuse faussement ?

— Le procureur du roi m'a eu l'air de croire ça possible. Votre frère aussi...

Elle me coupa la parole.

— Les hommes sont tous pareils ! Pour eux, l'essentiel, c'est de sauver les apparences ! « Moi », on ne me trompe pas. Quand une femme qui n'a rien à se reprocher reçoit une lettre anonyme, elle rit et la jette au feu. C'est ce que moi...

Elle hésita une fraction de seconde avant de terminer sa phrase en disant :

« ... j'aurais fait ! »

Elle s'était rattrapée habilement, mais j'étais à peu près sûr qu'elle allait dire : « J'ai fait ! »

Je décidai d'en avoir le cœur net.

— Ainsi, demandai-je avec un sourire, vous avez reçu une lettre, vous aussi ?

Elle avoua.

Aimée Griffith était de ces femmes qui dédaignent le mensonge. Elle avoua.

— Oui, j'ai reçu une lettre. Mais je n'ai pas permis qu'elle me tracasse.

— Une lettre méchante ?

J'avais mis dans le ton toute la sympathie de quelqu'un qui a connu les mêmes ennuis.

— Naturellement, répondit-elle. Ces lettres-là le sont toujours. J'ai lu quelques mots, j'ai compris de quoi il s'agissait et j'ai jeté tout de suite la feuille au panier !

— L'idée ne vous est pas venue de la porter à la police ?

— Je n'y ai pas pensé. Plus l'accroc est petit, plus il est facile à réparer, c'est tout ce que je me suis dit !

Je me sentis l'envie de proclamer avec emphase qu'il n'y a pas de fumée sans feu, mais je m'abstins et, pour échapper à la tentation, je revins à Megan.

— Savez-vous, demandai-je, quelle peut être la situation de fortune de Megan ? Ce n'est pas par simple curiosité que je pose la question, mais parce que j'aimerais savoir s'il est absolument indispensable qu'elle gagne sa vie.

— Je n'irai pas jusque-là. Sa grand-mère, la mère de son père, lui a laissé, je crois, de petits revenus. D'autre part, en admettant que rien ne lui revienne de sa mère, Dick Symmington lui assurera toujours un toit et s'occupera d'elle. Non, pour moi, c'est surtout une question de principe.

— Comment ça?

— Il faut travailler, monsieur Burton. Pour les hommes, pour les femmes, pour tout le monde, il n'y a rien de tel que le travail. Le seul péché qu'on ne saurait absoudre, c'est l'oisiveté !

Je restai sceptique.

— Sir Edward Grey, qui devait devenir ministre des Affaires étrangères, fut mis à la porte du collège d'Oxford en raison de son incorrigible oisiveté. Le duc de Wellington détestait l'étude. Et ne vous êtes-vous jamais avisée, miss Griffith, qu'il n'y aurait probablement pas un bon express pour vous conduire à Londres si le jeune Georgie Stephenson était allé se promener sous la conduite de ses maîtres au lieu de rôder dans la cuisine de sa mère jusqu'au moment où l'agitation du couvercle de la bouilloire allait attirer l'attention de son esprit inoccupé?

Malgré la grimace d'Aimée, je poursuivis :

— C'est à une de mes théories favorites que nous devons la plupart des grandes inventions et des réalisations de génie à l'oisiveté, volontaire ou forcée. L'esprit humain aime assez qu'on le nourrisse comme à la cuiller de la pensée des autres, mais, privé de cette nourriture, il se met, à regret d'ailleurs, à penser par lui-même. Cette pensée-là est originale et c'est pourquoi elle est souvent féconde. Et puis, il y a aussi le point de vue artistique…

Je me levai pour prendre sur mon bureau, où elle se trouvait toujours en permanence, la photographie d'une gravure chinoise pour laquelle j'ai un faible. Elle représente un vieil homme, assis à l'ombre d'un arbre et jouant à la « scie » avec un morceau de ficelle, ingénieusement disposé autour de ses doigts.

— C'était à l'Exposition chinoise, dis-je, et j'ai trouvé ça délicieux. Cela s'appelle : « Vieillard savourant les délices de l'oisiveté. »

Elle n'accorda à l'adorable gravure qu'un regard distrait, avant de répondre :

— Nous sommes tous fixés sur le compte des Chinois !

— Vous ne trouvez pas ça remarquable?

— Franchement, non. L'art, à vrai dire, ne me passionne pas. Votre attitude, monsieur Burton, est typiquement masculine. L'idée seule qu'une femme puisse travailler vous fait horreur.

J'étais abasourdi. J'avais déchaîné la féministe. Un peu rouge, Aimée, lancée, poursuivait :

— Vous ne pouvez pas admettre qu'une femme veuille exercer un métier. Mes parents étaient comme vous. Je désirais faire ma médecine, ils n'ont jamais consenti à me laisser suivre les cours. Ils ont refusé de prendre pour moi des inscriptions qu'ils ont prises avec joie pour Owen. Pourtant, j'aurais fait un meilleur médecin que mon frère !

— Je suis navré, fis-je, de ce que vous m'apprenez là. Vous avez dû être très malheureuse. Quand on veut faire quelque...

— Bah ! Maintenant, c'est passé ! J'ai beaucoup de volonté et j'ai oublié. J'ai une vie très active et je suis l'une des personnes les plus heureuses de Lymstock. J'ai énormément à faire. Mais je pars toujours en guerre, chaque fois que je le puis, contre le vieux préjugé stupide qui prétend que la femme doit toujours être à la maison !

Je déclarai que j'étais navré de lui avoir déplu et j'ajoutai :

— Pour Megan, je dois reconnaître que je ne la vois pas très bien en femme d'intérieur.

— Hélas ! non. J'ai bien peur que, là comme ailleurs, elle ne soit une catastrophe. Le père...

Elle n'achevait pas sa phrase. Calmée maintenant, elle avait repris son ton naturel. Je profitai de l'occasion pour lui demander des détails.

— Quoi, le père ? Tout le monde, parlant de Megan, dit : « Son père », baisse la voix et se tait. Qu'a-t-il fait ? Et vit-il encore ?

— En réalité, me répondit-elle, je n'en sais rien et je crains de ne pas pouvoir vous apprendre grand-chose. Ce que je sais, c'est que c'était un assez triste sire, qu'il a fait de la prison et qu'il n'était certainement pas normal. Et c'est pourquoi je ne serais pas surprise que Megan ne fût pas très équilibrée.

Je protestai.

— Megan, dis-je, a autant de bon sens et de raison que n'importe qui et je la tiens, je vous le répète, pour très intelligente. C'est également l'opinion de ma sœur, qui l'aime beaucoup.

— Votre sœur doit s'ennuyer ici ?

Elle avait posé la question d'une voix très douce, mais, malgré cela, cette toute petite phrase me révélait quelque chose que j'ignorais : Aimée n'aimait pas ma sœur.

— Je me demande, ajouta-t-elle, comment l'idée a pu vous venir d'aller vous enterrer en ce trou perdu !

— Ordre de la Faculté ! expliquai-je. Je devais me retirer pour un temps dans un de ces petits coins tranquilles où il ne se passe jamais rien. Lymstock, actuellement au moins, répond assez mal à la définition.

— Ce n'est que trop vrai !

L'air assez ennuyé, elle se leva pour partir.

— Il faut absolument en finir avec cette malheureuse affaire, dit-elle. Nous ne pouvons tolérer ces infamies plus longtemps !

— Je suppose que la police s'en occupe ?

— Je veux le croire. Mais nous devrions faire quelque chose, « nous aussi » !

— Nous ne disposons pas des moyens nécessaires !

— Allons donc ! Nous avons probablement plus de bon sens que les policiers et nous sommes plus intelligents. La seule chose dont nous avons besoin, c'est un peu de volonté et de décision !

Sans transition, elle me dit au revoir et se retira.

A son retour de promenade, je montrai ma gravure chinoise à Megan. Son visage s'éclaira.

— C'est ravissant ! dit-elle.

— C'est bien mon opinion !

— Seulement, ajouta-t-elle avec un froncement de sourcils que je connaissais bien, ce doit être difficile !

— Quoi donc ? demandai-je. De ne rien faire ?

— Pas de ne rien faire, mais d'y prendre plaisir. Il faut être très vieux...

— Mais il est très vieux ! dis-je.

— Je ne veux pas dire vieux en âge, précisa-t-elle, mais vieux en...

Elle chercha un instant. Je vins à son secours.

— Je crois vous comprendre, Megan. Vous voulez dire que, pour goûter les plaisirs de l'oisiveté, il faut avoir atteint un très haut degré de civilisation ? C'est juste. Je compléterai votre éducation en vous lisant une centaine de poèmes traduits du chinois...

III

Le même jour, en ville, je rencontrai Symmington.

— Je suppose, dis-je, qu'il n'y a pas d'inconvénient à ce que Megan reste avec nous pour quelque temps. C'est une compagnie pour ma sœur qui, privée de ses amis, se trouve un peu seulette...

— Megan?... C'est bien d'elle que vous parlez?... Oh! C'est très gentil à vous de l'héberger!

A partir de ce moment, j'éprouvai pour Symmington une antipathie que je ne devais jamais surmonter. Il était clair qu'il avait complètement oublié Megan. Je ne lui aurais pas fait grief de ne pas l'aimer, je ne pouvais pas admettre qu'il l'ignorât. Il y a des gens qui n'aiment pas les chiens et qui tolèrent cependant la présence d'un chien dans leur maison. Ils s'aperçoivent de son existence quand il leur vient dans les jambes et, selon l'occasion, ils sacrent ou lui donnent une vague caresse. Les sentiments de Symmington pour Megan étaient du même genre. Je lui en voulais beaucoup de son indifférence.

— Qu'avez-vous l'intention de faire d'elle? demandai-je.

— De Megan?

La question le laissait abasourdi.

— Mon Dieu! fit-il, après un instant, rien! Elle continuera à vivre à la maison. En somme, elle est chez elle...

Ma grand-mère, que j'adorais, chantait souvent, s'accompagnant elle-même à la guitare, de vieilles chansons d'autrefois. L'une d'elles se terminait ainsi :

Mon cher amour, je ne suis nulle part,
Je n'ai pas de foyer, pas de maison,
Ni sur la mer ni sur la côte!
Il me suffit d'être dans ton cœur!

C'est en fredonnant ce refrain que je rentrai à
la villa.

IV

Emily Barton arriva comme on venait de desser-
vir le thé. Elle voulait me parler du jardin. Ce que
nous fîmes pendant une demi-heure. Après quoi,
baissant la voix, elle aborda un autre sujet.

— Je peux espérer, dit-elle, que la pauvre Megan n'a pas été trop bouleversée par cette terrible
affaire!

— Vous voulez dire la mort de sa mère?

— Oui, bien sûr. Mais je pense aussi aux circonstances qui l'ont accompagnée, à ce qu'il y a
derrière cette mort!

Ma curiosité éveillée, je n'hésitai pas à demander
nettement à miss Barton si elle croyait qu'il y avait
quelque chose de vrai dans ce que l'on racontait.

— Non, répondit-elle, certainement pas. Je suis
sûre que Mrs. Symmington n'a jamais... qu'il n'a
jamais...

Elle rougit, renonça à finir sa phrase et en re-
commença une autre :

— Je suis sûre qu'il n'y a rien de vrai dans ces
ragots. Mais peut-être s'agit-il d'un jugement...

— Un jugement?

Je ne comprenais pas.

— Je ne peux pas m'empêcher de penser, expliqua-t-elle, que ces horribles lettres, avec leur cortège de douleurs et de chagrins, ont été envoyées dans un dessein déterminé.

— Cela, dis-je, ça ne fait pas de doute !

— Vous n'y êtes pas, monsieur Burton ! Je ne parle pas de la misérable créature qui a écrit ces lettres, une âme malheureuse que Dieu a abandonnée ! Je veux dire que ces lettres ont été permises par la Providence, qui a voulu par ce moyen attirer notre attention sur nos péchés !

— Le Tout-Puissant, remarquai-je, aurait pu choisir une méthode moins désagréable !

Miss Emily répliqua que les voies de Dieu étaient impénétrables.

— Non, ripostai-je. On a trop tendance à attribuer à Dieu des misères que l'homme ne doit qu'à lui-même. Je vous concède le Diable. Pour Dieu, je crois qu'il n'a vraiment pas besoin de nous punir. Nous nous en chargeons nous-mêmes !

— Ce que je ne comprends pas, reprit-elle, c'est pourquoi quelqu'un envoie ces lettres !

Je haussai les épaules.

— Un esprit pervers !

— C'est bien triste !

— Ce n'est pas triste, c'est horrible !

— Mais ça ne nous dit pas pourquoi ! Enfin, quel plaisir peut-on prendre à écrire ces infamies?

— Un plaisir que, vous et moi, Dieu merci, nous ne sommes pas en mesure de comprendre !

La voix de miss Barton devint un murmure.

— Les gens disent que c'est Mrs. Cleat, mais je ne peux pas le croire.

Je hochai la tête en signe d'incrédulité. S'agitant à mesure qu'elle parlait, elle poursuivit :

— C'est la première fois qu'on envoie des lettres anonymes à Lymstock, du moins autant que je me

souvienne. C'était une petite ville si heureuse ! Je
me demande ce que maman aurait pensé de ça !
Heureusement, ce chagrin lui aura été épargné...

D'après ce que je savais de la vieille Mrs. Barton,
elle aurait été assez solide pour supporter le choc.
Peut-être même aurait-elle trouvé à l'affaire un certain sel.

— Tout cela, conclut miss Barton, me fait beaucoup de peine.

Avec un peu d'hésitation, je lui demandai si elle
avait elle-même reçu quelque lettre. Son visage
devint cramoisi.

— Oh ! non ! s'écria-t-elle. Quelle odieuse supposition !

Je m'excusai, mais elle était encore tout émue
quand elle me quitta quelques minutes plus tard.

Rentrant à la maison, je trouvai Joanna debout
dans le salon, auprès du feu qu'elle venait d'allumer, les soirées étant encore assez fraîches. Elle
tenait à la main une lettre, qu'elle brandit quand
j'entrai dans la pièce.

— Tu vois, Jerry, j'ai trouvé ça dans la boîte
aux lettres ! Elle n'est pas venue par la poste, mais
elle était là tout de même. Elle commence ainsi ·
« Vilaine poupée peinturlurée... »

— Et que dit-elle d'autre ?

Joanna fit la grimace.

— Les insanités que tu peux penser...

Elle jeta la lettre dans le feu. Je me précipitai
d'un brusque mouvement pour retirer la feuille du
foyer avant que les flammes ne l'eussent touchée.

— Ne fais pas ça ! m'écriai-je. C'est un document dont nous pouvons avoir besoin !

— Nous ?

— Quand je dis « nous », c'est la police que je
veux dire !

V

Le commissaire Nash me rendit visite le lendemain matin. Je le trouvai tout de suite très sympathique. Grand, d'allure militaire, avec un visage réfléchi et des manières directes, il me fit l'effet d'un officier de police tel qu'on voudrait qu'ils fussent tous.

— J'imagine, monsieur Burton, dit-il, après s'être présenté, que vous devinez ce qui m'amène ?

— Il s'agit, je pense, de cette histoire de lettres anonymes ?

— Exactement. Vous en avez reçu une ?

— Oui. Peu de temps après notre arrivée ici.

— Que disait-elle ?

Je fis un effort de mémoire et répétai consciencieusement et presque mot pour mot le texte de la lettre. Le commissaire écoutait, impassible.

— Je vois, dit-il, lorsque j'eus fini. Cette lettre, vous ne l'avez pas conservée ?

— Non. Je le regrette, mais je pensais qu'il s'agissait simplement d'une manifestation de mauvaise humeur. Quelque voisin aigri, furieux de nous voir nous installer ici...

Le commissaire indiqua d'un signe de tête qu'il comprenait.

— Dommage ! murmura-t-il.

— Mais, ajoutai-je, ma sœur a reçu une lettre hier et je l'ai retirée à temps du feu où elle venait de la jeter.

— Je vous en remercie, monsieur Burton. Vous avez eu là une heureuse inspiration !

J'allai prendre la lettre dans le secrétaire où je

l'avais mise sous clé, jugeant inutile qu'elle tombât sous les yeux de Mary, et je la remis à Nash, qui la lut avec attention.

— La première lettre, demanda-t-il ensuite, ressemblait à celle-ci? Je parle de son apparence extérieure...

— Oui, autant qu'il me souvienne.

— Même différence entre l'enveloppe et la lettre proprement dite?

— Oui. L'enveloppe portait une adresse tapée à la machine. La lettre elle-même était composée avec des mots imprimés, collés sur la feuille de papier.

Nash empocha la lettre et se leva.

— Voudriez-vous, monsieur Burton, venir avec moi jusqu'au commissariat? Nous tiendrions une petite conférence qui nous permettrait de gagner du temps.

— Certainement, dis-je. Je vous accompagne.

Nous montâmes, l'un et l'autre, dans la voiture de police qui attendait devant la porte.

— Pensez-vous, demandai-je, réussir à tirer cette affaire au clair?

— Certainement, répondit-il avec assurance. C'est une question de temps et de routine policière. Ces histoires de lettres anonymes n'avancent jamais très vite, mais on les débrouille toujours. Il suffit de réduire peu à peu le champ des suspects...

— En procédant par élimination?

— Oui. Et en suivant les méthodes ordinaires.

— Surveillance des boîtes aux lettres, examen des machines à écrire, études des empreintes...

— Exactement, dit-il avec un sourire.

Au commissariat, je trouvai Symmington et Griffith, arrivés peu avant nous. Ils s'entretenaient avec un policier en civil, pourvu d'une énorme mâchoire carrée, auquel Nash me présenta.

— L'inspecteur Graves, précisa-t-il, est venu de Londres pour nous donner un coup de main. C'est un spécialiste de ce genre d'affaires.

L'inspecteur Graves eut un petit sourire amer. Je me dis qu'une existence consacrée à la poursuite de gens qui écrivent des lettres anonymes devait manquer de gaieté. Ce qui expliquait peut-être l'aspect mélancolique de l'inspecteur.

— Toutes ces affaires se ressemblent, dit-il d'une voix lugubre. Les lettres sont toutes pareilles. Elles disent les mêmes choses et dans les mêmes termes !

Un certain nombre de lettres étaient étalées sur le bureau, devant Graves, qui avait dû les examiner.

— Le difficile, déclara Nash, c'est d'entrer en possession des lettres. Ceux à qui elles sont envoyées les jettent au feu ou ne veulent pas convenir qu'ils les ont reçues. C'est idiot, mais ils ne tiennent pas à ce que la police s'occupe de leurs affaires ! Les gens, par ici, ne sont pas très à la page !

— Quoi qu'il en soit, remarqua Graves, nous avons de quoi travailler !

Nash tira de sa poche la lettre que je lui avais remise et la tendit à Graves, qui en prit connaissance avant de la placer devant lui, avec les autres.

— Très joli ! dit-il, connaisseur.

J'aurais sans doute choisi une autre épithète pour qualifier cette étrange missive, mais le point de vue de l'expert n'est pas le même que celui du profane. Je trouvai piquant que quelqu'un pût prendre un plaisir d'amateur à lire ce tissu de grossièretés et d'injures.

— Nous avons là, répéta l'inspecteur Graves, de

quoi nous mettre au travail. Je vous demanderai messieurs, si vous recevez quelque nouvelle lettre, de nous l'apporter et, si quelqu'un vous dit qu'il en a reçu une, de convaincre ce quelqu'un que cette lettre doit être remise à la police. Actuellement...

Ses doigts agiles allaient d'une lettre à l'autre.

— Actuellement, nous avons une lettre reçue par Mr. Symmington il y a plus de deux mois, nous en avons une adressée au docteur Griffith, une à miss Ginch, une à Mrs. Mudge, la femme du boucher, une à Jennifer Clark, la serveuse des *Trois Couronnes,* auxquelles il faut ajouter la lettre envoyée à Mrs. Symmington, celle de miss Burton et celle qu'a reçue le directeur de la banque.

— Une belle collection déjà ! remarquai-je.

— Dans laquelle, ajouta Graves, il n'y a pas une pièce qui ne me rappelle quelque chose ! Cette lettre est presque identique à celle qu'avait reçue la modiste. Cette autre est une réplique des lettres dont nous avons eu à nous occuper dans le Northumberland. C'est une étudiante qui les écrivait ! Je vous assure, messieurs, que je donnerais gros pour voir *quelque chose de neuf !*

— Il n'y a rien de nouveau sous le soleil, murmurai-je.

— C'est bien vrai ! Et personne ne le sait mieux que les policiers !

Nash poussa un soupir et dit :

— C'est malheureusement exact !

— Vous êtes-vous fait une opinion quant à l'auteur des lettres? demanda Symmington.

Graves s'éclaircit la gorge et y alla d'une petite conférence.

— Toutes ces lettres, dit-il, présentent certains points de ressemblance entre elles. Je vais les rapeler, pour le cas où ils suggéreraient à l'un de

vous, messieurs, quelque remarque particulière. Le
texte se compose de mots formés avec des lettres
séparées, découpées dans un vieux livre, vraisemblablement imprimé vers l'année 1830. Ce procédé
a évidemment été adopté afin d'éviter les risques
d'identification par l'écriture, identification relati-
vement aisée, les déguisements d'écriture étant
facilement décelés par les experts. On ne relève sur
les lettres, non plus que sur les enveloppes, aucune
empreinte digitale intéressante. Elles ont été mani-
pulées par les employés des postes, par le destinataire, les traces de doigts sont nombreuses, mais
elles ne nous apprennent rien, sinon que la personne qui a mis ces lettres à la boîte portait des
gants. Les adresses ont été dactylographiées sur
une Windson n° 7, dont l' « a » et le « t » frappent
nettement en dehors de la ligne. Les lettres ont été
mises à la poste à Lymstock ou déposées directement dans la boîte de ceux auxquels elles étaient
destinées, ce qui permet d'assurer que l'affaire est
purement locale. Elles ont été écrites, ou plutôt
rédigées, par une femme et, à mon avis, par une
femme d'un certain âge, dont je croirais volontiers,
encore que je ne puisse l'affirmer, qu'elle n'est pas
mariée.

Un silence suivit, qui se prolongea une minute
ou deux. Ces déclarations inspiraient le respect.

— J'imagine, dis-je enfin, que notre meilleure
chance, c'est la machine. Dans une petite ville telle
que Lymstock, il ne doit pas être difficile de la
trouver !

— Grosse erreur ! fit l'inspecteur Graves d'un
air sombre.

— En effet, expliqua Nash, il ne nous a été que
trop aisé de découvrir la machine. C'est celle dont
Mrs. Symmington a fait cadeau à l'Institut féminin

de Lymstock et elle est à la disposition de tout le monde !

— La frappe ne donne-t-elle aucune indication?

— Pas dans le cas qui nous occupe, répondit Graves. Les adresses ont été tapées avec un seul doigt.

— Donc par quelqu'un qui n'a pas l'habitude de la machine à écrire...

— Ou par quelqu'un qui cherche à nous le faire croire.

— En tout cas, dis-je, par quelqu'un qui est très fort !

— D'accord, fit Graves. Celle qu'il nous faut trouver connaît tous les trucs ! Et j'ajoute que c'est une dame !

— Pourquoi cela?

La question était partie presque malgré moi. Le mot « dame », je ne sais pourquoi, je l'avais pris dans l'acception restreinte que lui donnait ma chère vieille grand-mère et il me semblait entendre encore la voix de l'aïeule disant, sur un ton d'indéfinissable supériorité : « Evidemment, ce n'est pas *une dame* ! »

— Entendons-nous, dit Nash. Par « dame », l'inspecteur veut dire seulement qu'il s'agit d'une femme qui a reçu une certaine éducation, qui sait l'orthographe et qui possède un certain vocabulaire.

Je restai muet. Car j'avais reçu un coup. La communauté était si petite ! Inconsciemment, je m'étais représenté l'auteur des lettres comme étant une Mrs. Cleat, ou quelque autre créature du même genre, une femme envieuse, méchante, et un peu stupide.

— Voilà, fit observer Symmington, qui réduit considérablement le champ des suspects. Ils ne peuvent pas être plus d'une demi-douzaine ! Mettons une douzaine, au maximum !

— C'est mon avis !

— Je ne peux pas croire ça ! s'écria Symmington.

Et, avec un effort, regardant droit devant lui, comme si le son même de sa voix lui était désagréable, il ajouta :

— Vous vous souvenez sans doute de ce que j'ai déclaré à l'enquête ? Pour le cas où vous penseriez que ma déposition n'avait pour objet que de défendre la mémoire de ma chère femme, je tiens à répéter qu'en toute sincérité je considère comme absolument dénuées de fondement les accusations portées contre elle dans la lettre qu'elle a reçue. Il s'agit là, « je le sais », d'ignobles calomnies. Ma femme était une créature très sensible... et assez prudente. Cette lettre a dû être pour elle un coup terrible... et vous savez qu'elle était de santé assez délicate.

— Il y a de fortes chances, monsieur, pour que vous ayez raison, dit Graves. Aucune de ces lettres ne donne à penser que son auteur connaissait bien celui ou celle à qui il la destinait. Toutes accusent à tort et à travers. Il n'y a pas eu de tentative de chantage et il ne semble pas non plus que nous ayons affaire à un mystique, comme il arrive parfois en matière de lettres anonymes. Nos recherches s'en trouveront facilitées.

Symmington se leva. L'homme, je l'ai dit, était un cœur sec. Pourtant, ses lèvres tremblaient.

— J'espère, déclara-t-il, que vous mettrez rapidement la main sur le démon qui a écrit ces infamies. Cette femme, puisque c'est une femme, paraît-il, a tué mon épouse aussi sûrement que si elle l'avait poignardée.

Il ajouta, après un court silence :

— Je me demande quels sentiments elle éprouve maintenant !

Il sortit sans attendre la réponse. Je répétai la question à l'intention de Griffith, qui me semblait en mesure d'avoir là-dessus une opinion.

— Comment voulez-vous savoir ? fit-il. Elle a peut-être des remords. Mais il se peut aussi qu'elle savoure sa puissance. La mort de Mrs. Symmington peut être pour elle comme un encouragement !

— J'espère que non, dis-je vivement. Car, dans ce cas-là, il faudrait...

Je laissai ma phrase inachevée, mais Nash avait compris ma pensée.

— Nous attendre à une récidive ? dit-il. Je la souhaite. C'est ce qui pourrait nous arriver de mieux. Tant va la cruche à l'eau...

— Il faudrait qu'elle fût folle pour continuer ! m'écriai-je.

— Elle continuera, affirma Graves. Ils continuent toujours. C'est un vice, vous savez, et un vice ne vous lâche pas comme ça !

Ma contrariété devait être visible. Je demandai si l'on avait encore besoin de moi. L'atmosphère me pesait, j'avais besoin d'air frais.

— Vous pouvez aller, monsieur Burton, répondit Nash. Gardez vos yeux ouverts et faites-nous de la propagande ! En d'autres termes, répétez autour de vous que toutes les lettres anonymes qu'on peut recevoir doivent être apportées à la police !

Je promis.

— Je croirais d'ailleurs volontiers, ajoutai-je, que tout le monde à Lymstock a reçu un de ces maudits poulets !

— C'est ce que je me demande, dit Graves.

Il avait toujours son air triste.

— Connaissez-vous, poursuivit-il, penchant la tête sur le côté et levant son visage vers moi, quelqu'un dont vous puissiez dire avec certitude qu'il n'a pas reçu de lettre?

— Curieuse question! Les gens ne me font pas leurs confidences!

— Bien sûr! Mais quelqu'un aurait pu être amené à vous déclarer qu'il n'avait effectivement pas reçu de lettre!

— De fait, dis-je après une hésitation, on m'a bien fait une déclaration de ce genre.

Je rapportai alors la conversation que j'avais eue avec Emily Barton.

— Voilà qui pourra nous être utile, fit Graves, qui m'avait écouté sans manifester le moindre signe d'intérêt. J'en prends bonne note.

Je me retrouvai avec joie dans la rue, tout inondé de soleil. Owen Griffith avait quitté le commissariat en même temps que moi. Je poussai un juron sonore, pour ma satisfaction personnelle, et je m'écriai:

— Enfin, diantre, est-ce que c'est là un endroit où un homme peut venir se chauffer au soleil et panser ses blessures? On respire un air lourd de miasmes empoisonnés et le coin a l'air aussi tranquille, aussi innocent que le jardin du Paradis!

— Là-bas aussi, remarqua Griffith, il y avait un serpent!

— A votre avis, Griffith, demandai-je, savent-ils quelque chose? Savent-ils seulement de quel côté chercher?

— Je l'ignore, répondit-il, mais je fais confiance à leur magnifique technique. Ils ont l'air de ne rien vous cacher et, au bout du compte, ils ne vous disent rien.

— C'est exact. Mais Nash est un chic type!

— Et un homme qui connaît son affaire.

Je me tournai vers Griffith.

— Voyons, docteur, fis-je, s'il y a un maniaque dans le pays, vous devez le connaître !

Il secoua la tête. Il semblait découragé et surtout ennuyé. Il ne répondit pas, mais j'eus le sentiment qu'il avait sur le problème quelque idée dont il préférait ne pas faire part.

Nous avions remonté High Street. Je m'arrêtai devant la maison de l'agent de location.

— Je crois, dis-je, que je dois mon second terme, qui se paie d'avance, comme de juste. J'ai une bonne envie d'aller le régler et de quitter le secteur au plus vite, avec Joanna. Quitte à perdre l'argent versé...

Il me dit la main sur le bras :

— N'entrez pas !

— Pourquoi non ?

Il ne répondit qu'au bout d'un instant.

— Après tout, fit-il, vous avez peut-être raison. Lymstock est assez malsain pour le moment et toutes ces histoires peuvent vous faire du mal, à vous ou à votre sœur...

— Joanna s'en moque éperdument. Elle peut tout encaisser. Si quelqu'un ne tient pas le coup dans la famille, c'est moi. Et je dois avouer que j'en ai par-dessus la tête de toute cette affaire !

— Vous n'êtes pas le seul !

J'avais la main sur le bouton de la porte.

— Pourtant, repris-je, réflexion faite, je ne partirai pas. La curiosité la plus vulgaire l'emportera sur ma pusillanimité. Je resterai, parce que je veux savoir comment tout ça finira !

J'entrai.

Une secrétaire quitta sa machine à écrire pour m'accueillir. Elle était très minaudière sous ses cheveux ondulés. Mais je la trouvai plus intelligente que la jeune fille à lunettes qui m'avait introduit dans son bureau. Un peu plus tard, je reconnus en elle miss Ginch, l'ancienne secrétaire de Symmington.

— Vous avez bien travaillé autrefois chez Galbraith et Symmington? demandai-je.

— Oui, mais j'ai préféré m'en aller. Je suis ici un peu moins bien payée, mais il y a des choses qui sont plus précieuses que l'argent. Vous ne croyez pas?

— Ça ne fait pas de doute!

— Vous comprenez, poursuivit-elle dans un murmure, j'ai reçu une de ces horribles lettres! Elle racontait des infamies sur mes relations avec Mr. Symmington. Je connais mon devoir, heureusement, et je l'ai portée à la police, bien que cela m'ait été, comme vous le pensez bien, infiniment désagréable!

— Je vous comprends fort bien!

— On m'a remerciée et on m'a dit que j'avais bien fait. Seulement, après cela, je me suis dit que si les gens commençaient à jaser — et ils devaient l'avoir fait, car sans cela, où l'auteur de la lettre aurait-il été pêcher cette idée? — le mieux était, pour mettre fin aux racontars, de leur enlever tout prétexte. Je suis donc partie. Pourtant, il n'y a jamais rien eu entre Mr. Symmington et moi!

— Bien sûr! fis-je, assez embarrassé.

— Les gens sont si méchants, n'est-ce pas? Si méchants!

Sans que je l'eusse voulu, mon regard rencontra le sien et ce fut pour moi l'occasion d'une découverte assez désagréable : cette fâcheuse aventure, miss Ginch prenait grand plaisir à l'évoquer.

Une fois déjà, ce jour-là, j'avais rencontré

quelqu'un qui se complaisait à parler de lettres anonymes. Mais la satisfaction de l'inspecteur Graves était d'ordre purement professionnel. Pour miss Ginch, il en allait tout autrement...

En me retirant, je me demandais si ces maudites lettres, ce n'était pas miss Ginch qui les avait envoyées.

CHAPITRE VII

I

A la maison, je trouvai Mrs. Dane Calthrop bavardant avec Joanna. Elle avait mauvaise mine et semblait fatiguée.

— C'est cette vilaine histoire qui m'a donné un coup ! me dit-elle. Pauvre femme !

— Certes, fis-je. Il est terrible de penser qu'une malheureuse a été délibérément acculée au suicide !

— Ah ! C'est à Mrs. Symmington que vous pensez ?

— Oui. Pas vous ?

Elle hocha la tête.

— Bien sûr, murmura-t-elle, c'est très triste, mais ça devait arriver sous un prétexte ou sous un autre !

— Vous croyez ? lança Joanna d'un petit ton sec.

Mrs. Dane Calthrop se tourna vers ma sœur.

— Certainement, ma chère. Quand on s'est mis dans la tête que le suicide est le seul moyen d'échapper à ses ennuis, on l'utilise fatalement à la première occasion. La vérité, voyez-vous, est qu'elle manquait de courage. On ne s'en serait pas douté et, pour ma part, je la tenais pour une femme un peu trop égoïste, pas très intelligente, mais qui savait gouverner sa vie. Je m'aperçois aujourd'hui qu'on ne sait pas grand-chose des gens qu'on croit connaître !

— Mais, alors, dis-je, à qui faisiez-vous allusion en disant « Pauvre femme »?

Elle me dévisagea d'un air surpris.

— Je pensais à la malheureuse qui a écrit les lettres.

Je répliquai que je réserverais mes sympathies pour des créatures qui en seraient plus dignes. Mrs. Dane Calthrop se pencha vers moi et posa sa main sur mon genou.

— Mais, dit-elle, vous ne vous rendez donc pas compte?... Faites un effort d'imagination ! Imaginez combien la pauvre femme doit être malheureuse pour que l'idée lui vienne de s'asseoir à sa table pour écrire de telles infamies ! Ne faut-il pas qu'elle se sente coupée de l'espèce humaine, seule avec cet horrible poison qui circule dans ses veines et qui la pousse? Pour moi, je ne puis m'empêcher d'y penser et je m'adresse des reproches que je crois justes. Il y a quelqu'un dans cette ville dont nul ne soupçonne l'immense détresse morale. Ne devrais-je pas être allée à son secours? J'ai pour principe de ne pas me mêler des affaires des autres, mais, dans ce cas particulier, je voudrais faire quelque chose ! Je suis sûre que si l'on pouvait intervenir auprès de cette malheureuse femme, on obtiendrait les plus beaux résultats ! Et c'est pourquoi je la plains ! Pauvre femme !

Elle se leva pour partir. Je la regardai. Je ne pouvais partager son sentiment, mais, par curiosité, je lui posai encore une question :

— Cette pauvre femme, madame Calthrop, qui pensez-vous qu'elle puisse être?

— Là-dessus, répondit-elle, j'ai peut-être une idée. Mais il se peut que je me trompe!

Je l'accompagnai jusqu'à la porte. Au moment de sortir, elle s'arrêta.

— Monsieur Burton, pourquoi ne vous êtes-vous jamais marié?

Dans la bouche de quelqu'un d'autre, c'eût été là une impertinence. Dans la sienne, c'était différent. L'idée venait de lui passer par la tête et, sans malice, elle posait la question.

— Nous dirons, répondis-je avec bonne humeur, que c'est parce que je n'ai jamais rencontré la femme qui me convenait!

— Si vous voulez, fit-elle, mais ce n'est pas tout à fait satisfaisant. Il y a tant d'hommes qui ont épousé la femme qui ne leur convenait pas!

Elle s'en alla là-dessus et je revins vers Joanna.

— Tu sais, me dit-elle, que je commence à la croire complètement folle? Malgré ça, elle me plaît. Les gens du village ont peur d'elle...

— Moi aussi, un peu!

— Parce que tu ne sais jamais ce qu'elle va te dire?

— Oui. Et aussi parce qu'elle me semble avoir certains dons divinatoires!

— Crois-tu vraiment que la femme qui écrit ses lettres est très malheureuse?

— Je ne sais, cette ordure, ni ce qu'elle pense, ni ce qu'elle ressent et je m'en fiche! Je réserve ma pitié pour ses victimes!

Il me semble curieux, maintenant, de faire remarquer que, lorsque nous nous efforcions de nous représenter l'état d'esprit de l'auteur des lettres, nous accumulions les raisonnements erronés. Grif-

fith voyait l'horrible femme débordant d'une joie
mauvaise. Je l'imaginais bourrelée de remords.
Mrs. Dane Calthrop ne doutait pas qu'elle fût malheureuse. Aucun de nous ne songeait qu'elle avait
peur !

Et, pourtant, cela tombait sous le sens !

Car, avec la mort de Mrs. Symmington, l'affaire
changeait d'aspect. J'ignore ce qu'il en était exactement au point de vue de la loi — Symmington,
lui, devait le savoir — mais il était évident que le
décès de Mrs. Symmington mettait l'auteur des
lettres dans une situation qu'il n'avait peut-être
pas voulue. Que son identité vînt à être découverte
et il pouvait tout craindre ! Impossible de préten-
dre qu'il s'agissait de simples plaisanteries d'un
goût déplorable ! Les policiers se démenaient.
Scotland Yard avait envoyé sur place un de ses
meilleurs spécialistes. Rester anonyme devenait
pour l'auteur des lettres une question de vie ou de
mort.

Il avait peur...

Et, parce qu'il avait peur, certaines choses deve-
naient inévitables.

C'était l'évidence même.

Mais je ne m'en suis aperçu que beaucoup plus
tard.

II

Joanna et moi, nous descendîmes tard le lendemain pour notre petit déjeuner. Tard, pour Lymstock s'entend. Car il n'était guère que neuf heures
et demie, une heure à laquelle, à Londres, Joanna
commençait seulement à entrouvrir les paupières

et à laquelle les miennes demeuraient obstinément closes. Mais nous subissions la loi de Mary. Lorsqu'elle nous avait demandé si le petit déjeuner serait à huit heures nous n'avions pas osé suggérer qu'une heure plus tardive nous eût mieux convenu.

A ma vive contrariété, je constatai qu'Aimée Griffith était sur le pas de la porte, bavardant avec Megan. Elle nous interpella avec sa cordialité ordinaire :

— Alors, paresseux que vous êtes ! Vous voilà tout de même ! Il y a des heures que je suis debout !

Ça, c'était son affaire ! Un médecin, c'est certain, doit se lever tôt et, quand il a une sœur qui connaît ses obligations, elle fait comme lui pour être là pour lui servir son thé ou son café au lait. Mais ce n'est pas une raison pour venir importuner des voisins encore à moitié endormis. On ne fait pas de visites à neuf heures du matin !

Megan nous rejoignit dans la salle à manger. Aimée Griffith suivit.

— J'avais pourtant dit que je n'entrerais pas ! remarqua-t-elle.

Elle s'imaginait sans doute que ça faisait une différence. Pour moi, parler aux gens sur leur seuil ou à l'intérieur de la maison, c'est la même chose. Surtout à neuf heures du matin !

— Je n'étais venue, ajouta-t-elle, que pour demander à miss Burton si elle a quelques légumes à nous donner pour la Croix-Rouge. Si oui, je les ferai prendre par Owen avec la voiture...

— Vous vous êtes mise en route au petit jour ? dis-je.

— Le monde, répliqua-t-elle, est à ceux qui se lèvent tôt ! A cette heure-ci, on trouve les gens chez eux. D'ici, je vais chez Mr Pye. Et, cet après-midi, je serai à Brenton. Pour mes Guides !

— Votre activité me fatigue !

La sonnerie du téléphone m'empêcha de poursuivre. J'allai dans le hall pour répondre, cependant que Joanna, parlant rhubarbe et haricots avec quelque embarras, prouvait clairement à notre visiteuse qu'elle ne connaissait rien aux choses du jardin, et du potager en particulier.

J'avais pris le récepteur.

— Allô !

A l'autre extrémité du fil, une respiration oppressée préludait à un « oh ! » qui me parut un peu insuffisant. Je reconnus une voix de femme.

— Allô ! répétai-je d'un ton plus aimable.

— Allô ! reprit la voix. C'est bien « Little Furze » ?

— C'est bien « Little Furze » !

La voix se fit prudente. Je l'entendais à peine.

— Pourrais-je parler à miss Mary ? Rien qu'un instant !

— Mais certainement. De la part de qui ?

— Dites que c'est Agnès, voulez-vous ?... Agnès Waddle !

— Agnès Waddle ?

— C'est ça !

Je résistai à la tentation de lui dire que sa communication avait été reçue par Donald le Canard et, posant le récepteur, j'allai au pied de l'escalier pour appeler Mary, que j'entendais circuler au premier étage. Elle finit par apparaître sur le palier. Elle tenait un balai à la main et, encore que son attitude fût des plus respectueuses, son regard disait clairement : « Qu'est-ce qu'il y a *encore* ? »

— Monsieur ? fit-elle.

— Agnès Waddle vous demande au téléphone.

— S'il vous plaît, monsieur ?

Je criai presque :

— Agnès Waddle !

Je répétais le nom que j'avais entendu, mais il s'écrivait autrement.

— Ah ! fit Mary. Agnès Waddle !... Qu'est-ce qu'elle peut bien me vouloir encore?

En même temps, lâchant son balai, elle dégringolait l'escalier et se dirigeait vers le téléphone, cependant que je battais discrètement en retraite vers la salle à manger, où Megan engloutissait avec appétit un plat de rognon au bacon. Elle répondit à mon bonjour d'un ton bourru et je n'insistai pas. Je la laissai à son repas et j'ouvris mon journal. Joanna vint aussitôt me rejoindre. Elle avait l'air passablement déconfit.

— Elle m'a éreintée ! s'écria-t-elle. Et j'ai l'impression que j'ai étalé en long et en large ma totale ignorance des choses qui poussent dans les jardins ! Il n'y a donc pas de petits pois en cette saison?

— Les petits pois, dit Megan, c'est en août.

— Mais, à Londres, nous en avons d'un bout à l'autre de l'année !

— Des petits pois de conserve, lui fis-je remarquer. Ils nous arrivent des confins de l'Empire, dans des bateaux spécialement équipés.

— Comme l'ivoire, les singes et les paons?

— Exactement.

— J'aimerais bien avoir un paon, dit Joanna, pensive.

— Moi, déclara Megan, je préférerais un singe !

Joanna épluchait une orange et réfléchissait.

— Ce doit être très curieux, dit-elle soudain, d'être comme Aimée Griffith, toujours en mouvement, et toujours en train de faire quelque chose. Je me demande si elle est jamais fatiguée, s'il lui

arrive jamais de trouver la vie morne et sans
intérêt?

Je déclarai que j'étais persuadé du contraire et
passai sous la véranda, avec Megan. Je bourrais
ma pipe quand j'entendis Mary entrer dans la salle
à manger.

— Mademoiselle, dit-elle, s'adressant à Joanna,
pourrais-je vous parler une minute?

« Pourvu, pensai-je, qu'elle ne nous donne pas
ses huit jours! Emily Barton ne nous le pardon-
nerait pas! »

Heureusement, il ne s'agissait pas de cela.

— Je m'excuse, mademoiselle, poursuivait Mary.
La jeune femme qui m'a appelée n'aurait pas dû se
permettre ça. Elle sait très bien que je ne me sers
pas du téléphone et que je ne veux pas qu'on me
demande. Je suis navrée, mademoiselle. Monsieur
s'est dérangé et...

— Mais, dit Joanna de sa voix la plus suave,
pourquoi vos amis ne se serviraient-ils pas du téléphone, quand ils ont à vous parler?

Je ne voyais pas Mary, mais j'imaginai sans
peine sa réaction. Elle devait maintenant avoir son
visage le plus sévère et le plus fermé.

— Ce sont des choses qui ne se sont jamais
faites dans cette maison, répondit-elle, miss Emily
ne les aurait jamais tolérées. Je vous le répète,
mademoiselle, je suis désolée de cette communication, mais la pauvre Agnès Waddle qui me l'a
passée, est si désemparée, elle est si jeune aussi,
qu'elle ne sait plus guère ce qui se fait et ce qui ne
se fait pas!

« Encaisse, Joanna! » songeai-je.

— Cette Agnès qui m'a appelée, reprenait Mary,
a servi ici sous mes ordres. Elle avait seize ans et
nous arrivait de l'orphelinat. Elle n'a pas de

famille, pas de mère, pas de parents, de sorte que c'est à moi qu'elle a pris l'habitude de demander conseil. Vous comprenez, je lui dis ce qu'il en est et ce qu'il faut faire...

— Je comprends...

— Alors, mademoiselle, je me permets de venir vous demander si vous voulez bien autoriser Agnès à venir cet après-midi prendre le thé avec moi à la cuisine. C'est son jour de sortie et elle me dit qu'elle a besoin de me consulter. Autrement, je ne me permettrais pas.

Joanna paraissait fort surprise.

— Je ne vois vraiment pas, dit-elle, pourquoi quelqu'un ne viendrait pas prendre le thé avec vous !

Mary eut une sorte de haut-le-corps, Joanna me le dit plus tard, et répondit :

— C'est une chose qui ne s'est jamais faite dans cette maison, mademoiselle. La vieille Mrs. Barton ne nous a jamais autorisées à recevoir des visites à la cuisine, sauf lorsque c'était notre jour de congé. Et miss Emily a fait comme elle.

Joanna est très gentille avec les domestiques, qui l'aiment généralement assez, mais elle n'a jamais su faire la conquête de Mary. Je le lui fis remarquer peu après, lorsqu'elle vint me rejoindre.

— Mary, dis-je, ne te sait gré ni de ta sympathie ni de ta mollesse. Elle tient aux vieilles habitudes et elle sait ce qui se fait et ne se fait pas dans une bonne maison !

— D'accord ! répliqua-t-elle. Mais empêcher les domestiques de recevoir leurs amis, c'est de la tyrannie. Dis ce que tu veux, Jerry, je ne peux pas croire, moi, qu'ils demandent à être traités comme des esclaves !

— Il faut pourtant admettre que si ! Au moins
en ce qui concerne Mary !

— Je ne comprends pas pourquoi elle ne m'aime
pas. Généralement, je suis plutôt sympathique aux
gens...

— A mon avis, dis-je, elle te méprise parce que
tu n'es pas une maîtresse de maison accomplie. Tu
ne passes jamais tes doigts sur les meubles pour
voir si le ménage a été bien fait, tu ne regardes pas
sous les tapis, tu ne demandes jamais ce qu'est
devenu le reste du gâteau au chocolat, tu ne fais
jamais faire de panades...

— Au total, dit tristement Joanna, je suis une
véritable catastrophe ! Particulièrement aujour-
d'hui. Je suis ridicule aux yeux d'Aimée parce que
je ne connais rien aux légumes et Mary me traite
de haut parce que j'ai des sentiments humains. Il
ne me reste qu'une chose à faire : aller au jardin
et manger des racines et des vers de terre !

— Tu y retrouveras Megan. Elle y est déjà !

Megan se promenait à travers les allées, le front
soucieux. Elle vint à notre rencontre.

— Je crois, dit-elle, que je vais rentrer à la
maison aujourd'hui.

— Hein?

— Oui, continua-t-elle, rougissant, mais d'un
ton résolu. Vous avez été on ne peut plus gentils
de me prendre avec vous et j'ai dû vous embêter
terriblement, je me trouve bien ici, mais il faut
que je rentre. Après tout, là-bas, c'est chez moi et
on ne peut pas toujours être absent de chez soi !
Alors, je partirai ce matin...

Joanna et moi, nous essayâmes de la faire changer d'avis, mais elle était butée et, finalement,
tandis que ma sœur sortait la voiture du garage,

Megan montait à sa chambre, pour redescendre, quelques minutes plus tard, avec ses affaires.

La seule personne à qui ce départ parut faire plaisir était Mary, qui avait peine à ne rien laisser voir de sa satisfaction. Elle n'avait jamais eu beaucoup de sympathie pour Megan.

Au retour de Joanna, j'étais campé au milieu de la pelouse. Elle me demanda si je me prenais pour un cadran solaire.

— Pourquoi ça? fis-je.

— Dame! répondit-elle. A te voir là, immobile, on pourrait s'y tromper! Seulement, tu ne serais pas un de ces cadrans qui ne marquent que les heures heureuses. Tu fais une figure!

— Je ne trouve pas la vie rigolote aujourd'hui! On commence la journée avec Aimée Griffith, Megan fiche le camp... Je vais aller faire un tour jusqu'à Legge Tor...

— Avec un collier et une laisse, sans doute?

— Tu dis?

Elle s'éloignait vers la porte de la cuisine.

— J'ai dit, répéta-t-elle, « avec un collier et une laisse »! Tu as l'air du monsieur qui a perdu son chien et c'est pour ça que tu es si sombre!

Le brusque départ de Megan m'ennuyait, je l'avoue.

III

Notre compagnie avait probablement fini par lui peser. Je reconnais qu'elle n'était peut-être pas très amusante. Chez elle, elle retrouverait les enfants et Elsie Holland.

Owen Griffith vint nous rendre visite un peu

avant le déjeuner. Il était en voiture et le jardinier attendait sa visite. Tandis que le vieil Adams chargeait dans l'automobile les cageots de légumes qu'il avait préparés, j'invitai Owen à entrer pour se rafraîchir.

Quand je revins dans la salle à manger avec la bouteille de xérès que j'étais allé chercher, je trouvai Joanna en train de faire ce que j'appellerai son « numéro » ordinaire. Entre Griffith et elle, il n'y avait plus trace d'animosité. Assise près de lui sur le canapé, elle ronronnait, lui parlant de son métier, lui demandant pourquoi il ne s'était pas spécialisé, pourquoi il avait préféré la médecine générale, et affirmant avec sincérité que soigner ses semblables devait être quelque chose de passionnant.

Joanna a des défauts, mais elle sait écouter. Chez elle, c'est un don. Ayant dans le passé subi les discours d'une foule de pseudo-génies qui lui avaient expliqué pourquoi ils étaient méconnus, c'était un jeu pour elle de paraître s'intéresser aux propos d'Owen. Au troisième verre de xérès, il l'entretenait d'un traitement nouveau avec un tel abus de termes techniques que son exposé ne pouvait être intelligible qu'à un médecin. Joanna avait l'air de comprendre et proclamait que c'était passionnant !

Je me sentais gêné. Les femmes sont des démons. Griffith était un trop chic type pour être ainsi mené en barque.

Ce fut ma première réflexion. Mais, comme je le regardais de profil, je fus frappé par le dessin volontaire de son menton et je me dis que Joanna aurait peut-être du mal à faire de lui ce qu'elle voudrait et qu'il n'était pas tellement sûr qu'elle le ferait tourner en bourrique.

J'avais invité Owen à déjeuner. Il avait refusé.
Joanna revint à la charge. Elle insista. Griffith,
rougissant un peu, déclara qu'il serait resté avec
plaisir, mais que sa sœur l'attendait.

— Nous allons lui téléphoner, répliqua Joanna.
Je lui expliquerai...

Sans lui laisser le temps de répondre, elle fila
vers le hall, d'où elle revint bientôt, le sourire aux
lèvres. Tout était arrangé...

Owen Griffith déjeuna avec nous, heureux, me
sembla-t-il, que nous lui eussions forcé la main.
On parla livres, théâtre, politique, musique, pein-
ture et architecture, mais on ne dit pas un mot ni
de Lymstock, ni des lettres anonymes, ni de la
mort de Mrs. Symmington. Owen parut prendre
grand plaisir à la conversation. Il y avait de la joie
sur son visage, à l'ordinaire plutôt sombre. J'ajoute
qu'il se montra un causeur disert et intéressant.

— Ce garçon-là est trop gentil pour que tu le
fasses marcher ! dis-je à Joanna, lorsqu'il fut parti.

— C'est toi qui le dis ! répondit-elle. Les hommes se soutiennent toujours !

— Mais enfin, Joanna, répliquai-je, pourquoi ne
lui fiches-tu pas la paix? Parce qu'il t'a blessée
dans ta petite vanité?

Elle haussa les épaules.

— Si tu veux ! dit-elle simplement.

IV

L'après-midi, nous prîmes le thé chez miss
Emily Barton.

Nous fîmes le trajet à pied, car je me sentais
maintenant assez fort pour aller à Lymstock et en

revenir par mes propres moyens. Mais sans doute avions-nous trop largement calculé notre horaire : nous arrivâmes en avance et c'est une solide gaillarde au visage osseux qui vint nous ouvrir. Elle nous dit que miss Barton n'était pas encore rentrée.

— Mais, ajouta-t-elle, elle vous attend. Alors, si vous voulez bien monter…

La fidèle Florence — ce ne pouvait être qu'elle — nous montra le chemin, gravissant devant nous l'escalier, et nous fit entrer dans une chambre confortable, encore que peut-être un peu trop meublée.

— C'est gentil, n'est-ce pas? dit la femme, évidemment fière de l'aspect de la pièce.

— Très gentil, affirma Joanna.

— J'ai fait ce que j'ai pu pour que miss Barton se trouve bien ici, expliqua Florence. Et j'aurais voulu faire plus, parce qu'elle ne mérite pas ce qui lui arrive. Cette femme-là devrait être chez elle, dans sa maison, et non pas ici, comme une réfugiée !

Florence, qui était un véritable dragon, posait alternativement sur ma sœur et sur moi un regard chargé de reproches. Je me dis que, décidément, nous n'étions pas dans un bon jour. Aimé Griffith et Mary avaient « ramassé » Joanna, le matin. Maintenant, j'écopais avec elle.

— J'ai servi à « Little Furze » comme femme de chambre pendant quinze ans, ajouta Florence.

Injustement accusée, Joanna essaya de se défendre.

— Miss Barton voulait louer sa maison, dit-elle. C'est un agent qui nous l'a proposée…

— Elle était bien forcée ! Elle ne dépense presque rien, elle ne mange presque pas, mais ce n'est pas pour ça que le gouvernement la laissera tranquille ! Il exige sa livre de chair, tout pareil !

Je hochai tristement la tête.

— Il y avait de l'argent, au temps de la vieille Mrs. Barton, reprit Florence. Et puis, elles sont mortes les unes après les autres ! Toutes soignées par miss Emily. Elle était très patiente, elle ne se plaignait jamais, mais ce métier-là l'a usée ! Et puis, par là-dessus, sont venus les ennuis d'argent. Il paraît, c'est elle qui me l'a dit, que les valeurs ne rapportent plus autant qu'autrefois. Le gouvernement devrait avoir honte...

— Presque tout le monde a été touché de cette façon-là, dis-je.

Cette remarque ne devait pas adoucir l'intransigeante Florence.

— C'est possible ! Seulement, il y a des gens qui ont l'habitude des chiffres et qui savent se défendre. Elle, non ! Elle a besoin de quelqu'un, toute seule elle est perdue... Mais, aussi longtemps qu'elle sera avec moi, je veillerai à ce qu'elle ne soit la dupe de personne ! Je ferais n'importe quoi pour miss Emily !

Elle nous considéra longuement, comme pour bien nous signifier que c'étaient là propos dont nous devions faire notre profit, puis se retira, fermant soigneusement la porte derrière elle.

— Est-ce que tu ne te sens pas devenir vampire ? me demanda Joanna. Moi, j'ai un peu cette impression en ce qui me concerne. Que diable avons-nous fait aux gens pour qu'ils nous traitent comme ils font ?

— Le fait est, dis-je, que nos affaires vont mal. Megan en a assez de nous, Mary trouve que tu ne sais pas gouverner une maison et la fidèle Florence a de nous deux une triste opinion !

— Ce que je me demande, murmura Joanna, c'est la *véritable* raison du départ de Megan !

— Elle s'ennuyait.

— Je ne crois pas. Ce ne serait pas plutôt quelque chose qu'Aimée lui aurait dit ?

— Ce matin, quand elles parlaient sur le pas de la porte ?

— Oui. Elles n'ont pas bavardé longtemps, mais...

Je finis la phrase :

— Mais Aimée sait employer son temps. Elle peut fort bien...

La porte s'ouvrait devant miss Emily Barton. Elle était très rouge, un peu hors d'haleine et paraissait très excitée. Ses yeux brillaient.

— Je suis en retard, dit-elle, et je m'en excuse. Je suis allée faire quelques courses en ville et, les gâteaux de la pâtisserie ne m'ayant pas paru très frais, j'ai été jusque chez Mrs. Lygon. J'achète toujours mes gâteaux en dernier, de façon à en avoir qui sortent du four. Je suis navrée de vous avoir fait attendre...

— C'est notre faute, déclara Joanna. Nous étions en avance. Nous sommes venus à pied et Jerry marche si vite maintenant que nous arrivons trop tôt partout !

— Ne dites pas que vous arrivez trop tôt ! On n'arrive jamais trop tôt chez ses amis !

La vieille demoiselle donnait, ce disant, quelques tapes d'amitié sur l'épaule de ma sœur. Joanna était ravie. Il se trouvait enfin quelqu'un pour lui dire des choses gentilles !

Miss Barton se tourna vers moi avec un sourire un peu timide. Un peu, pensais-je, le sourire qu'elle aurait eu si on l'avait mise en présence d'un tigre après lui avoir donné l'assurance qu'il était pour le moment inoffensif

— C'est très aimable à vous, monsieur Burton, d'être venu prendre le thé. Les messieurs aiment peu le thé...

Pour Emily Barton, je pense, les hommes passaient le plus clair de leur temps à boire du whisky et à fumer des cigares, ne s'interrompant guère que pour séduire les filles du village ou les femmes déjà en puissance de mari. Quand, plus tard, je lui fis part de cette observation, Joanna me répondit que miss Barton aurait sans doute bien aimé rencontrer un homme taillé sur ce modèle, mais qu'elle ne l'avait malheureusement jamais trouvé.

Miss Emily, cependant, s'activait dans la pièce. Elle disposa devant nous de petites tables et prit soin de nous donner des cendriers. Peu après, Florence entrait, apportant sur un plateau le thé et les tasses, de superbes tasses de la manufacture royale de Derby, qui devaient être la propriété de miss Barton. Le thé était un excellent thé de Chine, les sandwiches, les tartines et les petits gâteaux étaient parfaits et en nombre suffisant.

Florence rayonnait. Elle regardait miss Emily un peu comme une maman qui s'amuse de voir sa petite fille faire la dînette avec ses poupées. La vieille demoiselle nous pressait de manger et je me rendais compte que Joanna et moi, nous représentions dans sa vie une grande aventure : nous étions des gens qui venaient de Londres, pays pour elle mystérieux et compliqué.

Naturellement, la conversation roula surtout sur les événements locaux. Miss Barton parla avec enthousiasme du docteur Griffith, charmant homme et excellent médecin. Elle célébra aussi les mérites de Mr Symmington. Il connaissait admirablement

la loi et lui avait fait récupérer une certaine
somme d'argent qu'elle avait payée en trop au per-
cepteur et qui, sans lui, eût été irrémédiablement
perdue.

— Il adore ses enfants, ajouta-t-elle, et il est
vraiment lamentable que les pauvres petits soient
aujourd'hui sans maman ! Elle n'avait jamais été
très forte, sa santé était mauvaise depuis quelque
temps et, pour moi, quand elle s'est tuée, elle
n'était plus elle-même ! Si elle avait su ce qu'elle
faisait, elle aurait pensé à son mari et à ses enfants !

— Cette lettre anonyme, dit Joanna, avait dû
la frapper terriblement !

Miss Barton rougit et c'est sur un ton de reproche qu'elle répondit :

— C'est une chose dont il est bien désagréable
de discuter, vous ne trouvez pas ? Je sais qu'il y a
eu des... lettres anonymes, mais, si vous voulez
bien, nous n'en parlerons pas. Ce sont de vilaines
choses qu'il vaut mieux ignorer.

Le sujet fut donc laissé de côté. On s'occupa
d'Aimée Griffith.

— C'est une femme admirable ! déclara Emily
Barton. Elle a une énergie extraordinaire, elle sait
manier les filles et, pour organiser quelque chose,
elle est étonnante ! C'est elle qui donne la vie à
Lymstock ! Avec ça, elle est très dévouée à son
frère et je trouve ça très bien !

— Vous ne croyez pas qu'il trouve parfois ex-
cessive la sollicitude dont elle l'entoure ? demanda
Joanna.

Emily Barton regarda ma sœur comme si cette
supposition la choquait.

— Elle lui a sacrifié bien des choses ! répondit-
elle.

Joanna n'insista pas et s'empressa de changer de sujet de conversation. On parla de Mr. Pye. Sur lui, Emily Barton hésitait à se prononcer. Tout ce qu'elle pouvait dire, c'est qu'il était gentil. Très gentil. Il avait de l'argent, il était très généreux. Evidemment, il lui arrivait de recevoir des visites bien curieuses mais il ne fallait pas oublier qu'il avait beaucoup voyagé. Les courses à travers le monde élargissent votre horizon, mais elles vous pourvoient d'étranges relations.

— J'ai souvent souhaité partir en croisière, dit Emily Barton avec regret. Ce doit être si intéressant !

— Pourquoi n'en faites-vous pas une? demanda Joanna.

Cette transposition de son rêve dans la réalité possible sembla alarmer miss Emily.

— C'est absolument impossible ! s'écria-t-elle.

— Mais pourquoi? Elles ne coûtent pas tellement cher !

— Ce n'est pas seulement une question d'argent ! Je n'aimerais pas voyager seule. Ça paraîtrait bizarre ! Vous ne croyez pas?

— Du tout !

Miss Emily ne paraissait pas convaincue.

— Et puis, ajouta-t-elle, je serais incapable de m'occuper moi-même de mes bagages, je n'oserais pas descendre seule à terre dans des ports étrangers, je m'embrouillerais dans les changes...

Toutes sortes d'obstacles s'élevaient devant la vieille demoiselle, la jetant dans une telle détresse que Joanna se hâta de parler d'une fête champêtre, accompagnée d'une vente de charité, qui devait avoir lieu bientôt. Naturellement, on ne tarda pas à prononcer le nom de Mrs. Dane Calthrop.

Miss Barton se renfrogna.

— C'est vraiment une vieille dame, dit-elle. Il lui arrive de dire des choses !

Je demandai lesquelles.

— Je ne sais pas, répondit-elle. Des choses inattendues ! Et elle vous regarde drôlement, comme si vous étiez quelqu'un d'autre ! Je me fais mal comprendre, mais c'est très difficile à expliquer. Et puis, c'est un principe chez elle, elle ne veut jamais intervenir ! Or, il y a bien des cas où la femme d'un homme d'église pourrait donner des conseils utiles, des avertissements même. Elle pourrait amener les gens à se ressaisir, à s'amender peut-être. Ils l'écouteraient, j'en suis sûre, car ils ont peur d'elle. Mais elle entend se tenir à l'écart et elle a la curieuse manie de plaindre des créatures qui ne sont vraiment pas dignes de pitié !

J'échangeai un regard avec Joanna.

— Malgré cela, poursuivit miss Barton, c'est une femme très distinguée. C'était une demoiselle Farroway, de Bellpath. Elle est de très bonne famille, mais il faut croire que dans ces vieilles familles, on est souvent bizarre ! Elle aime beaucoup son époux, qui est un homme très intelligent, dont je me dis souvent qu'il est bien dommage qu'il soit venu perdre son temps au milieu des paysans. Je ne lui reproche guère que ses citations latines, qui m'égarent toujours un peu.

— Comme je vous comprends ! m'écriai-je.

— Jerry, expliqua Joanna, a fait des études coûteuses, mais quand on cite Virgile devant lui, il ne sait même pas que c'est du latin !

Cette remarque lançait miss Barton sur un nouveau sujet.

— La maîtresse d'école, ici, dit-elle, est une jeune femme très désagréable. J'ai bien peur que ce ne soit une « rouge »...

Pour dire ce dernier mot, elle avait baissé la voix.

Un peu plus tard, tandis que nous reprenions le chemin de « Little Furze », Joanna me déclara qu'elle trouvait décidément Barton « bien gentille ».

V

Au dîner, ce soir-là, Joanna dit à Mary qu'elle espérait que sa petite réception s'était bien passée.

Mary se tint un peu plus droite et répondit en rougissant :

— Je vous remercie, mademoiselle, mais, en fin de compte, Agnès n'est pas venue.

— Je regrette.

— Pour moi, dit Mary, ça n'a pas la moindre importance !

Elle était si amère qu'elle consentit à nous expliquer pourquoi.

— Ce n'est pas moi qui suis allée la chercher. C'est elle qui m'a appelée, sous prétexte qu'elle avait quelque chose à me dire et qu'elle pouvait venir ici, puisque c'était son jour de sortie. Je lui ai répondu que c'était d'accord, puisque vous n'y voyiez pas d'inconvénient. Depuis, elle ne m'a plus donné signe de vie et je n'ai même pas eu un mot d'excuses ! J'espère avoir une carte postale demain matin. Les filles d'aujourd'hui ne savent pas se conduire !

Joanna essaya de consoler Mary.

— Peut-être ne s'est-elle pas trouvée bien cet après-midi. Vous ne l'avez pas demandée au téléphone ?

Mary rejeta la tête en arrière.

— Certainement pas, mademoiselle ! Agnès peut

se comporter comme une mal polie qu'elle est, ça la regarde! Pour moi, j'attendrai de la rencontrer pour lui dire ce que je pense!

Elle quitta la pièce dignement. Quand elle fut sortie, nous nous mîmes à rire.

— Il s'agit sans doute, dis-je, d'un conseil relevant de la rubrique de « Tante Nancy » : « *Mon amoureux ne me témoigne aucune affection. Que dois-je faire?* » A défaut de « Tante Nancy », on se proposait de consulter Mary, mais une réconciliation est intervenue entre-temps et j'imagine qu'en ce moment Agnès et son tendre ami forment un de ces couples silencieux qu'on rencontre s'embrassant dans le noir, le long des haies. On est d'ailleurs beaucoup plus gêné qu'eux, quand on leur tombe dessus!

Joanna convint que je devais avoir vu juste et nous parlâmes des lettres. Nous nous demandions si l'enquête de Nash et du mélancolique inspecteur Graves progressait.

— Il y a exactement une semaine aujourd'hui que Mrs. Symmington s'est donné la mort, dit Joanna. Ils doivent tout de même avoir trouvé quelque chose. Des empreintes, des spécimens d'écriture, quelque chose enfin!

Je répondis distraitement. Ces mots que Joanna venait de prononcer — « il y a exactement une semaine » — avaient éveillé en mon esprit des pensées confuses, qui ne me paraissaient pas tout à fait nouvelles, mais qui retenaient mon attention pour la première fois.

Joanna remarqua que je ne l'écoutais plus.

— Que se passe-t-il, Jerry? A quoi penses-tu?

Je ne répondis pas. Je faisais des rapprochements.

Le jour de sa mort, Mrs. Symmington était seule chez elle. Elle était seule, chez elle *parce que c'était le jour de sortie des domestiques.* Il y avait de cela exactement une semaine.

Ma sœur répétait sa question.

— Joanna, dis-je, les domestiques ont bien un jour de congé par semaine?

— Oui. Et un dimanche sur deux ! Pourquoi?

— Laissons de côté les dimanches. Ce jour de congé, c'est toujours le même?

— Généralement, oui.

Elle me dévisageait avec surprise, ne devinant pas où je voulais en venir. Je pressai la sonnette. Mary entra peu après.

— Cette Agnès Woddle, lui dis-je, elle est bien en place, n'est-ce pas?

— Oui, monsieur. Chez Mrs. Symmington. Ou, plutôt, chez Mr. Symmington.

Je jetai un coup d'œil à la pendule. Elle marquait dix heures et demie.

— A cette heure-ci, demandai-je, elle doit être rentrée?

Mary posait sur moi un regard désapprobateur.

— Oui, monsieur, répondit-elle. Chez les Symmington, les bonnes doivent rentrer pour dix heures. C'est l'usage, ici.

— Je vais l'appeler au téléphone.

Je gagnai le hall, suivi de Mary, dont les yeux disaient la colère, et de Joanna, très intriguée.

— Qu'est-ce que tu fais, Jerry? me demanda-t-elle, comme je composais le numéro d'appel.

— Je tiens à m'assurer qu'elle est rentrée.

Mary renifla. Sans plus. Mais ses sentiments m'étaient parfaitement indifférents.

C'est Elsie Holland qui vint au bout du fil.

— Je suis navré de vous déranger, dis-je. C'est Jerry Burton qui téléphone. Est-ce que votre bonne Agnès est rentrée?

C'est seulement ma question posée que je me rendis compte que je me couvrais de ridicule. Si tout était en ordre, comment diable expliquerais-je mon coup de téléphone et ma sollicitude? J'aurais dû laisser à Joanna le soin de passer la communication. Je venais de donner aux commères de Lymstock un nouveau sujet de conversation. J'en ferais les frais, avec Agnès Woddel

Elsie Holland me répondit — c'était assez naturel — sans cacher sa surprise.

La bêtise était faite. Je continuai.

— A cette heure-ci, certainement.

— Puis-je vous demander, miss Holland, de vous en assurer?

Miss Holland, c'est tout à son honneur, a l'habitude de faire les choses quand on l'en prie. Elle ne sollicite pas d'explications. Elle posa le récepteur pour aller à l'office. Deux minutes plus tard, elle revenait au bout du fil.

— Allô, monsieur Burton, vous êtes à l'appareil?

— Je vous écoute.

— Vous aviez raison, Agnès n'est pas encore rentrée.

J'eus immédiatement le sentiment que mon intuition ne m'avait pas trompé. Des bruits de voix parvinrent à mon oreille, puis Symmington parla.

— Allô, Burton! Que se passe-t-il?

— Agnès, votre petite bonne, n'est pas encore rentrée.

— C'est ce que miss Holland vient de m'apprendre. Il n'y a pas eu d'accident?

— Je ne crois pas qu'il soit question d'*accident*!

— Est-ce que vous auriez quelque raison de croire qu'il lui est arrivé quelque chose?

Je fus obligé de répondre que ça ne m'étonnerait pas autrement.

CHAPITRE VIII

I

Je dormis mal cette nuit-là. Les divers éléments du problème me tracassaient. Si j'avais su l'examiner, peut-être étais-je dès ce moment en mesure de le résoudre. Sinon, pourquoi me tourmentait-il avec une telle insistance?

Quelle que soit la question qui nous préoccupe, je crois que nous savons toujours d'elle beaucoup plus de choses que nous ne nous le figurons. Seulement, elles sont dans notre subconscient. Il y a comme une barrière. Elles sont là, mais nous ne pouvons pas aller les chercher.

Je me tournais et retournais dans mon lit. Des morceaux du « puzzle » s'imposaient à moi. Ces lettres se ressemblaient toutes. Il y avait *un modèle*. Etait-il donc impossible de le trouver? J'aurais dû connaître l'auteur de cette maudite correspondance. Sa piste existait quelque part. Il fallait la relever et la suivre...

Je finis par glisser dans le sommeil. Des mots dansaient dans ma tête.

« Il n'y a pas de fumée sans feu ! La fumée !...
Ecran de fumée ?... Non, ça, c'était une phrase de
guerre !... La guerre... Un chiffon de papier... Rien
qu'un chiffon de papier... La Belgique... L'Alle-
magne.

Je rêvais que je me promenais, tenant, au bout
d'une laisse, Mrs. Dane Calthrop, changée en
lévrier.

II

La sonnerie du téléphone, dans le hall, me
réveilla. Elle insistait.

Je m'assis dans mon lit et regardai ma montre.
Il était sept heures et demie. Je sautai hors de mes
draps, j'enfilai une robe de chambre et je dégrin-
golai l'escalier aussi vite que mes jambes me le
permirent. Battant d'une courte tête Mary qui
arrivait de la cuisine, j'empoignai le récepteur.

— Allô ?

— Ah !... *C'est vous !*

Un soupir de soulagement suivit. C'était la voix
de Megan. A peine reconnaissable. Elle paraissait
triste et apeurée.

Après quelques secondes, elle reprit :

— Venez, je vous en supplie. Venez !

— J'arrive !... Vous m'entendez ? Je viens *tout de
suite !*

Je posai le récepteur, gravis l'escalier quatre à
quatre et fis irruption dans la chambre de Joanna.

— Jo, je cours chez les Symmington !

Joanna leva sa tête blonde au-dessus de ses oreil-
lers et, se frottant les yeux, me demanda ce qui se
passait.

— Je n'en sais rien, répondis-je. C'est la petite...
Megan qui vient de téléphoner. Elle semblait bouleversée.

— Qu'est-ce que ça peut bien être?

— Ou je me trompe fort, ou il s'agit d'Agnès.
Joanna me rappela au moment où je sortais de
sa chambre.

— Attends un peu! Je me lève et je te conduis
là-bas.

— Pas besoin! Je prendrai le volant moi-même.

— Tu pourras?

— J'en suis sûr.

Effectivement, je conduisis. Ce fut dur, mais pas
trop. En moins d'une demi-heure, j'avais fait ma
toilette, je m'étais rasé et habillé, j'avais sorti la
voiture et fait le trajet. Un résultat assez hono-
rable.

Megan devait guetter mon arrivée. Elle sortit de
la maison en courant et s'accrocha à moi des deux
mains. Son pauvre petit visage pâle et défait.

— Ah! s'écria-t-elle. Vous êtes venu! Vous êtes
venu!

— Calmez-vous, petite idiote! répondis-je. Oui,
je suis venu. Alors, que se passe-t-il?

Elle se mit à trembler. Je la pris par la taille.

— Je... Je l'ai trouvée!

— Agnès? Où ça?

Elle tremblait de plus en plus.

— Sous l'escalier. Dans le placard où on range
les cannes à pêche et les clubs de golf... Elle était
là... En tas... Et déjà toute froide!... Elle était...
morte!

— Qu'est-ce qui vous a fait ouvrir ce placard?
demandai-je.

— Je n'en sais rien. Hier soir, après votre coup
de téléphone, nous nous sommes demandé où Agnès

était passée. Nous l'avons attendue un bout de temps, puis, comme elle ne rentrait pas, nous sommes allés nous coucher. J'ai mal dormi et je me suis levée tôt. Personne n'était debout encore, à part Rose, la cuisinière. Elle était furieuse contre Agnès et racontait qu'elle avait déjà été dans une maison où une bonne avait fait le même coup. J'étais en train de déjeuner à la cuisine quand Rose est revenue, toute drôle. Elle était allée dans la chambre d'Agnès et elle avait été stupéfaite d'y voir ses vêtements, ceux qu'elle mettait pour sortir. Alors, l'idée m'est venue qu'elle n'était peut-être pas du tout sortie de la maison, j'ai regardé à droite et à gauche, j'ai ouvert le placard sous l'escalier... Elle était là !

— La police est prévenue, j'imagine ?

— Oui. Elle est là en ce moment. C'est mon beau-père qui a téléphoné. Moi... moi, je n'en pouvais plus ! Alors, je vous ai appelé ! Vous ne m'en voulez pas ?

— Non, bien sûr !... Depuis que vous l'avez trouvée, est-ce que quelqu'un vous a fait boire un peu de cognac ? Ou bien un peu de café ou de thé ?

Personne n'y avait songé. Je maudis toute la maisonnée. Cet empaillé de Symmington n'avait pensé qu'à alerter la police ! Et, pas plus que la cuisinière, Elsie Holland n'avait réfléchi au choc qu'une enfant impressionnable avait dû éprouver à la suite d'une si horrible découverte !

— Venez, figure de masque, dis-je, nous allons faire un tour à la cuisine !

Rose, une solide quadragénaire dont le visage faisait songer à un plum-pudding, buvait une tasse de thé très fort au coin de son fourneau. Elle nous accueillit avec un flot de paroles, tout en gardant une main sur son cœur. Elle m'expliqua qu'elle avait des palpitations. Après tout, n'est-ce pas, ç'aurait pu être elle ! On aurait pu l'assassiner dans son lit.

— Donnez une tasse de thé bien fort à miss Megan, dis-je. Elle en a besoin. N'oubliez pas que c'est elle qui a trouvé le corps !

Ce simple rappel faillit déclencher chez Rose une sorte de crise, mais je la rappelai à l'ordre d'un coup d'œil sévère et elle remplit la tasse que je lui tendais d'un thé qui avait la couleur de l'encre.

— Buvez ça, jeune fille, dis-je à Megan. Ça vous fera du bien !

Rose, sur ma demande, découvrit, au fond d'une armoire, un reste de cognac dont on s'était servi à Noël pour arroser les puddings, et je versai libéralement de l'alcool dans la tasse de Megan. Cette initiative parut recevoir l'approbation de la cuisinière. Je lui confiai Megan et je quittai la cuisine. Si je ne me trompais, Rose ne tarderait pas à s'apercevoir que l'émotion l'avait « creusée » et qu'un peu de nourriture solide lui ferait du bien, ainsi d'ailleurs qu'à Megan. Curieuse maison, où cette enfant était pratiquement abandonnée à elle-même ! Intérieurement, j'enrageais.

Elsie Holland, que je rencontrai dans le vestibule, ne parut pas surprise de me voir. Les circonstances faisaient sans doute qu'on ne prenait pas garde à qui entrait et sortait. Un agent, Bert Rundle, se tenait à la porte.

La gouvernante haletait.

— C'est horrible, monsieur Burton ! Qui peut bien avoir fait une chose pareille?

— Alors, dit-il, il s'agit d'*un meurtre*?

— Ça ne fait pas de doute ! On l'a frappée derrière la tête ! Ses cheveux sont tout englués de sang... C'est affreux !... Elle était là, comme un paquet, dans le placard! On se demande qui peut avoir fait ça! Et *pourquoi*?... Pauvre Agnès! Une fille qui n'a jamais fait de mal à personne!

— Oui, fis-je. Il y a quelqu'un qui y a veillé!

Elle me regarda avec des grands yeux. C'était une fille qui avait les nerfs solides, mais qui n'était pas d'esprit particulièrement vif. Ses joues étaient un peu plus roses qu'à l'ordinaire et je me demandai si, en dépit de tout le cœur qu'elle pouvait avoir, elle ne prenait pas un certain plaisir à respirer cette atmosphère de drame.

— Vous voudrez bien m'excuser, reprit-elle. Il faut que je monte retrouver les enfants. Mr. Symmington désire leur épargner toute émotion. Je veille à ce qu'ils ne circulent pas dans la maison.

— C'est Megan, m'a-t-on dit, qui a trouvé le corps. J'espère que quelqu'un s'occupe d'elle?

Je dois dire à la décharge d'Elsie Holland qu'elle parut soudain consciente de n'avoir pas fait tout son devoir.

— Mon Dieu! s'écria-t-elle. La pauvre petite, je l'ai complètement oubliée! On m'a tellement bousculée! Il y a eu l'arrivée des policiers... et tout le reste! Tout de même, je suis impardonnable! Elle doit être bouleversée! Je vais m'occuper d'elle tout de suite...

Sa sincérité me toucha.

— Ne vous inquiétez pas, dis-je. Je l'ai laissée entre les mains de Rose. Occupez-vous des petits!

Elle me remercia d'un sourire qui découvrit ses larges dents blanches et s'en fut vers l'escalier. Réflexion faite, elle avait raison. Son travail, c'était les deux garçons. Elle n'avait pas à s'occuper de Megan. Personne n'avait à s'occuper de Megan. On la payait pour veiller sur la précieuse progéniture de Symmington. Il était difficile de lui reprocher de le faire.

Au moment où elle allait disparaître à mes yeux, je ressentis un petit choc. Pendant deux secondes, elle m'était apparue soudain, non plus comme la simple gouvernante d'une paire de gosses, mais comme une victoire ailée, immortelle et belle à n'y pas croire !

J'entendis une porte se fermer au premier étage. Peu après, le commissaire Nash descendait l'escalier. Symmington venait derrière lui.

— Tiens ! dit le policier, monsieur Burton ! J'allais vous téléphoner. Je suis bien content de vous rencontrer.

Il ne me demanda pas — du moins à ce moment-là — ce qui m'avait amené. Tournant la tête vers Symmington, il ajouta :

— Si vous le permettez, je me servirai de cette pièce !

C'était une sorte de petit salon dont l'unique fenêtre était sur le devant de la maison.

— Mais certainement, fit Symmington.

Il était très maître de lui, mais visiblement très fatigué.

— A votre place, monsieur Symmington, reprit Nash, je prendrais un confortable déjeuner. Miss Holland, miss Megan et vous-même, vous vous trouveriez mieux après un bon café au lait, suivi de quelques œufs au bacon. En présence d'un meurtre, il ne faut pas garder l'estomac vide.

Il parlait gentiment, comme eût fait le médecin de la famille. Symmington essaya de sourire et répondit qu'il allait suivre le conseil du policier.

Je passai avec Nash dans le petit salon, dont il ferma la porte.

— Vous êtes arrivé bien vite ! me dit-il. Comment avez-vous été informé ?

Je lui expliquai que Megan m'avait téléphoné. Je me sentais très bien disposé envers lui. Nash, au moins, n'avait pas oublié que Megan, elle aussi, se trouverait bien d'un déjeuner un peu consistant.

— On m'a dit, monsieur Burton, reprit-il, que vous aviez téléphoné hier soir, au sujet de cette petite bonne. Comment cela se fait-il ?

Évidemment, ça devait paraître curieux. Je lui parlai de la communication reçue par Mary et de ce thé auquel Agnès n'était point venue. Il m'écouta avec attention, dit « Je comprends », tout en se passant la main sur le menton et poussa un soupir avant de reprendre la parole.

— En fin de compte, déclara-t-il, nous sommes bel et bien devant un meurtre. La question est de savoir ce que cette fille savait. A-t-elle dit quelque chose à Mary ? Quelque chose de précis ?

— Je ne crois pas, mais vous pouvez le lui demander.

— C'est ce que je compte faire quand j'en aurai terminé ici.

— Savez-vous ce qui s'est passé exactement ?

— Je n'en suis pas bien loin. C'était le jour de sortie des domestiques...

— Des deux ?

— Oui. Autrefois, le service était assuré par deux sœurs, à qui Mrs. Symmington accordait de prendre ensemble leur jour de congé. D'autres les avaient remplacées, mais on n'avait rien changé aux habitudes. Elles préparaient un dîner froid et mettaient le couvert avant de s'en aller. Miss Holland s'occupait du thé.

— Je vois...

— Jusqu'à un certain point, reprit Nash, c'est

assez clair. Rose, la cuisinière, est originaire de
Nether Mickford. Pour pouvoir s'y rendre quand
c'est son jour de sortie, elle doit prendre l'autobus
de deux heures et demie. C'était donc Agnès qui,
après le déjeuner, enlevait le couvert et faisait la
vaisselle. En manière de compensation, Rose, quand
elle rentrait, desservait la table du dîner et faisait
ce qu'il y avait à faire.

« Rose est donc partie, hier, à deux heures vingt-
cinq pour prendre son autobus. Symmington a
quitté la maison à trois heures moins vingt-cinq
pour se rendre à son bureau. Elsie Holland et les
enfants sont sortis à trois heures moins le quart,
suivis à cinq minutes par Megan Hunter, qui allait
faire une promenade à bicyclette. A partir de ce
moment-là, Agnès était seule à la maison. Autant
que j'aie pu l'établir, normalement elle s'en allait
entre trois heures et trois heures et demie.

— Laissant la maison seule?

— Ici, on ne fait pas attention à ça. Il est très
rare qu'on ferme les portes à clé. A trois heures
moins dix, donc, Agnès était seule dans la maison.
Elle ne l'a pas quittée. C'est certain, car elle avait
encore son tablier et son bonnet quand on a retrouvé son cadavre.

— J'imagine que vous savez à peu près à quelle
heure elle est morte?

— Le docteur Griffith ne veut pas s'engager.
Entre deux heures et quatre heures et demie, c'est
officiellement tout ce qu'il peut dire!

— Comment a-t-elle été tuée?

— Elle a d'abord été assommée par un coup sur
le derrière de la tête. Le meurtrier lui a ensuite
enfoncé à la base du crâne une broche de cuisine,
extrêmement mince et affilée. La mort a été
instantanée.

J'allumai une cigarette. Le tableau était horrible à imaginer.

— Il fallait posséder un rude sang-froid! observai-je.

— C'est incontestable.

J'aspirai une longue bouffée.

— Qui a tué? demandai-je ensuite. Et pourquoi?

— Je ne crois pas, répondit lentement le commissaire, que nous le sachions jamais exactement. Mais nous pouvons deviner...

— Elle savait quelque chose?

— Elle savait quelque chose.

— Elle avait fait des confidences à quelqu'un dans la maison?

— Autant qu'il me soit possible d'affirmer, non! La cuisinière prétend que, depuis la mort de Mrs. Symmington, elle était très abattue, et, toujours d'après cette Rose, plus le temps passait, plus elle avait l'air ennuyé, plus elle répétait qu'elle ne savait pas ce qu'elle devait faire.

Il eut un geste d'agacement.

— C'est toujours comme ça, continua-t-il. Ils ne veulent pas venir nous trouver. C'est toujours le même vieux préjugé. Ils ne veulent pas mêler la police à leurs affaires! Si elle était venue nous voir, si elle nous avait parlé franchement, elle serait encore en vie aujourd'hui!

— Elle n'a pas donné à la cuisinière la moindre indication sur ce qu'elle savait?

— Non. C'est du moins ce que nous dit Rose et je suis assez enclin à la croire. Si elle lui avait dit quoi que ce fût, Rose n'aurait rien eu de plus pressé que de le colporter avec toutes sortes d'enjolivements de son cru!

— C'est affolant de ne pas savoir! remarquai-je.

— Je vous répète, monsieur Burton, que nous

pouvons deviner Il est sûr que ce n'était pas une
certitude. Ce devait être une de ces choses à quoi
on pense, qu'on tourne et retourne dans sa tête et
qui vous tracasse de plus en plus à mesure qu'on
y songe. Vous voyez ce que je veux dire?

— Très bien !

— Et, ce qui la tourmentait, je crois savoir ce
que c'est !

Je le regardai avec une respectueuse admiration.

— Beau travail, commissaire ! déclarai-je.

— Je dois avouer, monsieur Burton, reprit-il, que
je sais quelque chose que vous ignorez. L'après-
midi où Mrs. Symmington s'est donné la mort, les
deux domestiques étaient censées ne pas être à la
maison. C'était leur jour de congé. En fait, Agnès
y était revenue.

— Vous êtes sûr de ça?

— Sûr. Agnès avait un amoureux, le jeune Rendell, qui travaille à la poissonnerie. Le mercredi,
comme la boutique ferme tôt ce jour-là, il venait
à la rencontre d'Agnès pour aller se promener avec
elle, ou, quand il faisait mauvais temps, pour la
conduire au cinéma. Ce mercredi-là, ils venaient à
peine de se retrouver qu'ils se disputaient. Par la
faute de notre fabricant de lettres anonymes, qui
avait laissé entendre au jeune Rendell qu'Agnès
avait d'autres amours. Ils s'étaient querellés et
Agnès s'était repliée sur la maison en déclarant
qu'elle ne sortirait avec Fred que lorsqu'il lui aurait
demandé pardon !

— Et alors?

— Alors, monsieur Burton?... La cuisine est sur
le derrière de la maison, mais l'office donne sur
le devant. Il n'y a qu'une grille d'entrée. Une fois
que vous l'avez franchie, vous pouvez soit aller vers
la grande porte, droit devant vous, soit suivre le

sentier qui conduit sur le côté à la porte de service.

Il s'interrompit un instant.

— Autre chose, poursuivit-il. La lettre reçue cet après-midi-là par Mrs. Symmington *n'est pas arrivée par la poste.* On avait bien collé sur l'enveloppe un timbre oblitéré et très adroitement imité un cachet postal, de façon qu'elle eût l'air d'avoir été délivrée par le facteur avec le courrier de l'après-midi, mais, en fait, *cette lettre n'était pas passée par la poste.* Vous voyez ce que cela signifie?

— Je suppose, dis-je, que cela signifie qu'on est venu la déposer dans la boîte un peu avant la venue du facteur.

— Exactement. Le courrier de l'après-midi arrive ici vers quatre heures moins le quart. Ma théorie est la suivante : Agnès est dans l'office. Par la fenêtre, en partie masquée par les arbustes, elle guette la venue de son amoureux, dont elle espère bien qu'il va lui faire des excuses...

— Et, terminai-je, *elle voit la personne qui jette la lettre dans la boîte.*

— Vous l'avez dit, monsieur Burton ! Pour moi, c'est là ce qui s'est passé. Certes, je peux me tromper...

— Mais cela m'étonnerait. C'est simple, c'est logique... et convaincant. *La pauvre Agnès connaissait l'auteur de la lettre!*

— Je le crois.

— Mais, alors, pourquoi n'a-t-elle pas...

Je laissai ma phrase en suspens.

— A mon avis, dit Nash, *elle ne s'est pas rendu compte tout de suite de ce qu'elle avait vu.* Quelqu'un avait déposé une lettre dans la boîte de la maison, mais, ce quelqu'un, elle ne l'aurait jamais imaginé écrivant les fameuses lettres anonymes. Pour elle, ce quelqu'un était au-dessus de tout soupçon. C'est seulement plus tard, en y réfléchissant, qu'elle commence à avoir des doutes et à se demander ce qu'elle doit faire. Qui pourrait lui donner un conseil? Elle pense à Mary Partridge, votre domestique. C'est une femme, je crois, qui ne manque pas de personnalité et Agnès a en elle une confiance absolue. Elle décide d'aller la consulter...

— Et ainsi, fis-je, tout s'explique. L'auteur des lettres découvre son intention et... Oui, mais comment?

— On voit, monsieur Burton, que vous n'avez pas l'habitude de vivre à la campagne. Les nouvelles se propagent ici de façon quasi miraculeuse. Dans le cas qui nous occupe, il y a d'abord eu cette communication téléphonique. A votre extrémité du fil, qui l'a entendue?

— C'est moi qui ai décroché le récepteur, répondis-je, après un court instant de réflexion. Ensuite, j'ai appelé Mary, qui était au premier étage.

— Vous avez dit que c'était Agnès qui la demandait?

— Oui.

— Et qui a pu vous entendre?

— Ma sœur et miss Griffith.

— Miss Griffith?... Que faisait-elle chez vous? Je l'expliquai brièvement.

— Elle rentrait directement à Lymstock ensuite?

— Non, fis-je. Elle passait d'abord chez Mr. Pye.

— Eh bien! conclut Nash, avec miss Griffith et Mr. Pye, tout le pays pouvait être au courant de cette communication une heure plus tard!

— Penseriez-vous, dis-je, incrédule, que miss Griffith ou Mr. Pye seraient capables de colporter une nouvelle aussi rigoureusement dénuée d'intérêt?

— Dans un village comme Lymstock, répliqua Nash, il n'y a pas de nouvelle qui ne vaille d'être

rapportée. Si la vieille maman de la couturière a
un cor au pied qui la fait souffrir, tout le pays en
sera informé, soyez-en sûr ! Et puis, il y a l'autre
bout du fil. Miss Holland et Rose ont pu entendre
ce qu'a dit Agnès. Enfin, il y a Fred Rendell, qui
peut fort bien avoir raconté à tout le pays que sa
bonne amie était rentrée à la maison.

Je regardais par la fenêtre. J'imaginais quelqu'un, glissant une enveloppe dans la fente de la
boîte aux lettres. Une femme. Elle n'avait pas de
visage. Et pourtant, je devais la connaître...

— Quoi qu'il en soit, poursuivit Nash, le champ
se rétrécit. Peu à peu, le nombre des suspects dimi-
nue et ils ne sont plus maintenant tellement
nombreux !

— Vous croyez?

— Nous pouvons maintenant mettre hors de
cause toutes les femmes qui travaillaient hier après-
midi. Comme, par exemple, la maîtresse d'école,
qui faisait sa classe, et l'infirmière du district, dont
l'emploi du temps m'est connu. Je ne les ai jamais
soupçonnées ni l'une ni l'autre, mais maintenant,
en ce qui les concerne, j'ai une *certitude*. Nous
avons à présent, monsieur Burton, des bases solides,
deux espaces de temps sur lesquels nous devons
concentrer notre attention. D'abord, le jour de la
mort de Mrs. Symmington, de trois heures et quart,
heure probable du retour d'Agnès à la maison après
sa querelle avec son amoureux, à quatre heures,
heure probable du passage du facteur, que je préci-
serai d'ailleurs avec lui. Ensuite, hier, de trois
heures moins dix, heure du départ de miss Megan
Hunter, à trois heures et quart, puisque Agnès
n'avait pas encore eu le temps de s'habiller pour
sortir.

— Avez-vous idée de ce qui a pu se passer hier?

Nash fit la grimace.

— Je pense, répondit-il, qu'une dame s'est présentée à la porte et qu'elle a sonné. Calme et souriante, comme quelqu'un qui vient faire une visite. Il est possible qu'elle ait demandé miss Holland ou miss Megan. Ou qu'elle ait apporté un paquet. Agnès se détourne pour prendre le plateau dans lequel on met les cartes de visite ou pour poser le paquet sur une table. La dame lui administre un coup violent sur le derrière de la tête...

— Avec quoi?

— La mode, ici, est aux sacs à main immenses. Impossible de savoir ce qu'on transporte là-dedans!

— Et la visiteuse aurait ensuite enfoncé cette longue broche dans la nuque de la pauvre Agnès, avant de la fourrer dans le placard? Ça ne vous paraît pas un peu sévère pour du travail de dame?

— La femme que nous cherchons, dit Nash, n'est pas normale, il s'en faut de beaucoup, et ce type de déséquilibrée est souvent d'une vigueur physique extraordinaire. Agnès, d'autre part, était assez frêle...

Après un silence, il reprit :

— Qu'est-ce qui a donné à miss Megan Hunter l'idée de regarder dans ce placard?

— Elle n'en sait rien. Une intuition... Au fait, pourquoi l'assassin a-t-il mis le corps dans le placard?

— Plus on tarderait à découvrir le crime, plus il serait difficile de déterminer avec précision le moment où il a été commis. Si, par exemple, miss Holland était tombée sur le cadavre lorsqu'elle est rentrée, il est probable que le médecin aurait pu fixer l'heure de la mort, ce qui aurait pu être assez ennuyeux pour la meurtrière.

— Mais, si Agnès se doutait de quelque chose, si elle pensait que cette personne...

Nash me coupa la parole.

— Agnès ne soupçonnait personne de façon précise. Il y avait seulement quelque chose qui lui paraissait « drôle ». C'était une petite fille d'esprit assez lent, du moins, je le crois, elle se doutait qu'il y avait quelque chose de pas catholique dans ce qu'elle avait vu, mais elle ne savait pas bien quoi ! Et, en tout cas, elle ne se figurait pas être en présence d'une femme capable de la tuer !

— Vous. ce crime vous a surpris?

— J'aurais dû m'y attendre. Le suicide de Mrs. Symmington a effrayé l'auteur des lettres. Elle a pris peur. Et, quand la peur intervient, on peut tout redouter !

— Oui, dis-je. La peur... Nous aurions dû y penser. La peur chez un être à demi fou...

Le commissaire hocha la tête.

— Curieux problème ! conclut-il. Car, ne vous y trompez pas, monsieur Burton, c'est une déséquilibrée que nous devons trouver, mais c'est aussi quelqu'un qui jouit de la considération générale, dont tout le monde pense le plus grand bien, quelqu'un qui, à Lymstock, est « quelqu'un ».

III

Nash m'annonça ensuite qu'il allait de nouveau interroger Rose, la cuisinière. Je lui demandai avec quelque hésitation s'il me permettrait d'assister à l'entretien. A ma grande surprise, il y consentit volontiers.

— Votre collaboration, monsieur Burton, sera la bienvenue, déclara-t-il.

— Voilà, dis-je, qui m'inquiète un peu. Dans les livres, lorsque le policier accepte l'assistance de quelqu'un, c'est généralement ce quelqu'un qui est le meurtrier !

— Je ne crois pas, répliqua-t-il en riant, que vous soyez de ces gens qui écrivent des lettres anonymes et, très sincèrement, je pense que vous pourrez nous être utile.

— Je m'en réjouis, mais je ne vois pas en quoi !

— Simplement, parce que vous êtes étranger au pays. Vous n'avez d'idées préconçues sur personne et vous connaissez les gens pour avoir eu avec eux des rapports... mondains.

— Le coupable étant « quelqu'un », murmurai-je, je puis donc...

— C'est exactement cela. Le rôle que je vous assigne vous déplaît?

— Non, dis-je après réflexion. Une détraquée pousse une pauvre femme au suicide et massacre une malheureuse petite bonne. Je ne me reconnais pas le droit de ne pas vous aider à mettre cette dangereuse maniaque hors d'état de nuire.

— Vous raisonnez en homme intelligent. J'ajoute que l'adversaire est dangereux...

— Et qu'il faut faire vite.

— C'est parfaitement exact. Ne croyez pas, d'ailleurs, que la police ne fait rien. Nous travaillons de différents côtés à la fois...

J'eus la vision d'une immense toile d'araignée tendue sur Lymstock, mais Nash me rappela tout de suite à la réalité. Il m'expliqua qu'il voulait entendre Rose de nouveau parce qu'elle avait déjà varié dans ses dépositions. Peut-être finirait-il par trouver un peu de vrai dans ce qu'elle lui racontera...

La cuisinière, qui lavait la vaisselle du petit déjeuner quand nous entrâmes dans sa cuisine, nous considéra d'abord avec des yeux ronds, porta la main sur son large sein, côté gauche, et se mit en devoir de nous expliquer encore une fois tous les maux dont elle souffrait depuis le matin. Nash l'écoutait avec patience, mais sans trop de complaisance. Il m'avait dit avoir été très gentil à son premier interrogatoire et très sec au second. Maintenant, il combinait les deux attitudes.

Rose insistait sur ce qui s'était passé dans la semaine, parlant des mortelles angoisses d'Agnès et de la façon brutale dont elle l'avait rabrouée quand elle lui avait demandé de se confier à elle.

— Elle disait que, si elle parlait, ce serait son arrêt de mort.

C'est sur ces mots qu'elle termina, heureuse d'en avoir fini. Elle précisa, sur une question du commissaire, qu'Agnès ne lui avait rien avoué des raisons de ses craintes. Ce dont elle était sûre, par contre, c'est que la jeune fille était persuadée qu'elle était en danger de mort.

Nash demanda ensuite à la cuisinière ce qu'elle avait fait dans l'après-midi de la veille. Rose avait pris l'autobus de deux heures et demie, avait passé l'après-midi et la soirée dans sa famille et était rentrée par l'autobus de huit heures quarante. Je donne l'essentiel d'un long récit, compliqué par les extraordinaires pressentiments de Rose, qui n'avait pu avaler une bouchée de l'excellent gâteau à l'anis que sa sœur avait confectionné à son intention.

Quittant la cuisine, nous nous mîmes en quête de miss Holland, que nous trouvâmes dans la salle

d'étude, faisant répéter leurs leçons aux enfants.
Elle se leva, donna à Byran et à Colin un problème
qui devait être résolu à son retour et nous fit passer
dans la pièce voisine, leur chambre à coucher.

— Il me semble, expliqua-t-elle, qu'il vaut
mieux ne pas parler devant les enfants.

— Vous avez raison, miss Holland, répondit
Nash. Puis-je vous demander une fois encore si
vous êtes *absolument sûre* qu'Agnès, depuis la mort
de Mrs. Symmington, n'a jamais fait allusion devant
vous aux soucis qu'elle pouvait avoir?

— Elle n'a jamais rien dit. C'était une fille très
réservée et qui parlait peu.

— Elle différait sensiblement de la cuisinière!

— Certes! Rose a la langue bien pendue et il lui
arrive parfois de se montrer impertinente.

— Voudriez-vous me dire ce qui s'est passé hier
après-midi? Tout ce dont vous vous souvenez...

— Nous avons déjeuné à une heure, comme
d'habitude, assez rapidement. Je ne permets pas
aux enfants de s'amuser à table. Mr. Symmington
est retourné à son bureau et j'ai aidé Agnès à mettre
le couvert pour le dîner. Les enfants ont joué dans
le jardin jusqu'à ce que j'aie été prête à les emmener.

— Où êtes-vous allés?

— Vers Combe Acre, par le sentier qui traverse
les champs. Les enfants voulaient pêcher. Ils
avaient oublié leurs appâts et j'ai dû revenir les
chercher.

— Quelle heure était-il?

— Voyons... Nous sommes partis vers trois heures moins vingt. Un peu plus tard, peut-être... Megan, qui devait venir avec nous, avait changé d'avis
pour aller faire du vélo. C'est sa grande toquade
actuelle...

— Ce que je désirerais savoir, c'est à quelle heure vous êtes revenue chercher ces appâts. Êtes-vous entrée dans la maison?

— Non. La boîte était dans la serre, sur le derrière. Je ne sais pas exactement quelle heure il pouvait être. Sans doute, autour de trois heures moins dix...

— Avez-vous vu Megan ou Agnès?

— Megan devait être partie et je n'ai pas vu Agnès. Je n'ai vu personne.

— Ensuite, vous êtes allée pêcher?

— Oui. Nous avons suivi la rivière. Nous n'avons rien pris. Il est rare que nous ne rentrions pas bredouilles, mais les enfants aiment pêcher. Byran était trempé. J'ai dû le changer en rentrant.

— C'est vous, le mercredi, qui vous occupez du thé?

— Oui. Tout est prêt dans le salon pour Mr. Symmington. Je fais le thé quand il arrive. Les enfants et moi, nous prenons le nôtre dans la salle d'étude. Avec Megan, bien entendu. J'ai mon service dans un placard...

— A quelle heure êtes-vous rentrée?

— A cinq heures moins dix. Je suis montée avec les enfants et nous avons commencé à préparer le thé. A cinq heures, au retour de Mr. Symmington, je suis descendue pour m'occuper du sien, mais il a dit qu'il le prendrait avec nous, dans la salle d'étude. Les enfants étaient ravis. Après, nous avons joué à pigeon vole. Quand je pense que, pendant tout ce temps, cette pauvre fille était dans le placard! C'est horrible!

— Ce placard, sous l'escalier, on l'ouvrait souvent?

— Non, car on n'y range guère que des choses dont on se sert peu. Les chapeaux, les pardessus, on les accroche dans le petit vestiaire qui se trouve à droite de la porte d'entrée. On aurait très bien pu ne pas ouvrir ce placard d'ici des mois!

— Et, en rentrant, vous n'avez rien remarqué d'anormal?

— Non, monsieur l'Inspecteur. Tout était comme tous les jours. C'est bien ce qu'il y a de terrible!

— Et la semaine dernière?

— Vous voulez dire le jour où Mrs. Symmington...

— Oui.

— Ce jour-là, ç'a été affreux!... Effrayant!

— Je sais. Vous étiez sortie, cet après-midi-là aussi?

— Oui. Tous les après-midi, si le temps le permet, j'emmène les enfants en promenade. Nous travaillons le matin seulement. Ce jour-là, je me souviens, nous sommes allés dans les champs. Très loin. Si loin que j'avais peur d'être en retard. En effet, au moment de rentrer, j'ai aperçu à l'autre bout de la route Mr. Symmington qui revenait de son bureau. Il était cinq heures moins dix et ma bouilloire n'était pas encore sur le feu!

— Vous n'êtes pas montée à la chambre de Mrs. Symmington?

— Non. Je ne le faisais jamais. Elle se reposait toujours après le déjeuner, à cause de ses névralgies, qui la prenaient souvent après les repas. Le docteur Griffith lui avait donné des cachets à prendre. Elle s'étendait et essayait de dormir...

— Personne ne lui montait le courrier? demanda Nash, d'une voix indifférente.

— Le courrier de l'après-midi? Non. En rentrant je jetais un coup d'œil dans la boîte. S'il y avait des lettres, je les posais sur la table du vestibule. Mais, très souvent, Mrs. Symmington descendait elle-même pour prendre le courrier. Elle ne dormait pas tout l'après-midi et se levait généralement vers quatre heures.

— Le fait qu'elle n'était pas debout ne vous a pas donné à penser qu'il s'était passé quelque chose d'anormal?

— Comment aurais-je pu supposer une chose pareille? Comme Mr. Symmington retirait son pardessus dans le vestibule, je lui ai dit que le thé n'était pas tout à fait prêt, mais que l'eau n'était pas loin de bouillir. Il me fit un petit signe de tête, puis, par deux fois, il appela : « Mona ! »... Mrs. Symmington ne répondit pas, il monta à sa chambre et il dut éprouver une terrible émotion ! Il m'appela, j'accourus et il me demanda d'emmener les enfants. Puis il téléphona au docteur Griffith. Ce furent des instants épouvantables ! Une femme si gentille et que nous avions encore vue si gaie au déjeuner !

— Avez-vous, miss Holland, une opinion sur la lettre reçue par Mrs. Symmington?

— C'est une infamie ! répondit-elle avec une sincère indignation.

— Je parle de ce qu'elle disait, précisa Nash. Ces accusations, pensez-vous qu'elles reposaient sur quelque chose?

— Certainement non ! Mais Mrs. Symmington était une femme très sensible, qui souffrait des nerfs, et une lettre pareille devait lui donner un coup terrible !

Il y eut un silence, que Nash rompit par une nouvelle question.

— Avez-vous reçu une de ces lettres anonymes, miss Holland?

— Non. Aucune.

— Vous en êtes bien sûre?

Elle allait protester. Il poursuivit, l'apaisant d'un geste de la main :

— Ne me répondez pas trop vite ! Ces missives sont très désagréables à recevoir et je comprends très bien qu'on n'aime pas reconnaître qu'on a été le destinataire de l'une d'elles. Il est cependant très important pour nous de savoir à qui les lettres ont été adressées. Nous sommes fixés sur ce qu'il faut penser de leur contenu, de sorte que, si vous avez reçu une lettre, vous pouvez nous le dire sans la moindre gêne.

— Mais, commissaire, je n'en ai pas reçu ! Vraiment.

Elle était presque sur le point de pleurer et ses dénégations paraissaient sincères.

Nash la rendit à ses occupations. Il alla regarder par la fenêtre et dit :

— Et voilà ! Elle prétend n'avoir pas reçu de lettre et il semble bien qu'elle dise la vérité !

— C'est bien mon avis, fis-je.

— Je veux bien !... Mais alors, ce que je voudrais savoir, c'est pourquoi diable elle n'en a pas reçu !... Tout de même, c'est plutôt une jolie fille?

— Elle est mieux que jolie !

— Je ne l'avais pas dit, mais je la tiens pour remarquablement jolie. Elle est belle, elle est jeune. Pour quelqu'un qui envoie des lettres anonymes, elle est une victime de choix. Alors, pourquoi l'a-t-on oubliée? Je signalerai ça à Graves. Il est très curieux de savoir quelles sont les personnes qui n'ont pas reçu de lettres !

— Elle est la seconde, dis-je. Il y a aussi, vous vous souvenez, Emily Barton.

Nash ricana doucement.

— Vous ne devriez pas croire tout ce qu'on vous

dit, monsieur Burton. Miss Barton a bel et bien reçu une lettre... Et même plusieurs !

— Comment le savez-vous?

— Par les confidences du fidèle dragon chez lequel elle habite qui est, je crois, son ancienne femme de chambre ou son ancienne cuisinière. Florence Elford était blême de rage quand elle m'a dit ça !

— Pourquoi miss Emily prétend-elle n'avoir rien reçu?

— Par délicatesse. Ces lettres sont écrites dans une langue ignoble et la brave petite vieille a passé sa vie à éviter les gens qui sacrent et parlent mal !

— Que disaient ces lettres?

— Rien de bien spécial. Des choses ridicules. Elles l'accusaient notamment d'avoir empoisonné sa mère et la plupart de ses sœurs !

— Enfin, m'écriai-je, est-ce que cette dangereuse maniaque va continuer longtemps sans que nous puissions la repérer?

Nash conservait son calme.

— Nous la repérerons, soyez tranquille ! dit-il. Elle écrira une lettre de trop !

— Vous croyez que ce n'est pas fini?

Il me regarda dans les yeux et répondit lentement :

— J'en suis persuadé. *Elle ne peut pas arrêter.* C'est une malade et la maladie est la plus forte. Il y aura d'autres lettres, vous pouvez en être sûr !

CHAPITRE IX

I

Avant de m'en aller, je me mis à la recherche de Megan, que je trouvai dans le jardin. Elle semblait redevenue elle-même et c'est avec joie qu'elle m'accueillit.

Je suggérai qu'elle revînt vivre avec nous pour quelques jours. Elle hésita et, finalement, refusa.

— C'est très gentil de votre part, expliqua-t-elle, mais je préfère rester ici. Après tout, ici, je suis chez moi. Et puis, pour les petits, je peux aider un peu.

— C'est comme vous voulez, Megan !

— De toute façon, reprit-elle, si... si...

— Si ?

— S'il arrivait quelque chose, je pourrais toujours vous téléphonner et vous viendriez, n'est-ce pas ?

— Sans aucun doute. Mais que voulez-vous qu'il arrive ?

— Est-ce qu'on sait ?... Aujourd'hui, les choses les plus invraisemblables se produisent !

— En tout cas, dis-je, riant, n'allez plus fouiner

à droite et à gauche, pour découvrir des cadavres !
Ça ne vous vaut rien !

Elle eut un pauvre sourire.

— Ça, c'est vrai ! Dites que ça me rend malade !

C'est sans plaisir que je la laissai là, mais après
tout, comme elle l'avait fait remarquer, elle était
chez elle. J'espérais en outre que, maintenant, Elsie Holland avait compris qu'il lui fallait aussi
s'occuper un peu de Megan.

Nash m'accompagna jusqu'à « Little Furze ». Il
interrogea Mary, tandis que je faisais à ma sœur
un compte rendu des événements de la matinée.
Quand il vint nous retrouver, il avait l'air découragé.

— Elle n'a pas grand-chose à nous apprendre,
dit-il. D'après elle, Agnès a simplement dit que
quelque chose l'ennuyait, qu'elle ne savait que
faire et qu'elle voulait lui demander conseil.

— A-t-elle parlé à quelqu'un de cette communication?

— Oui, répondit Nash. Mrs. Emory, votre femme
de journée, à qui elle aurait raconté qu'il y avait
tout de même des jeunes femmes qui ne pensaient
pas avoir la science infuse et qui n'avaient pas
honte de prendre conseil de leurs aînés, ajoutant
qu'Agnès n'était peut-être pas très intelligente,
mais que c'était du moins une fille qui savait se
conduire.

— Mary, dit Joanna, sait faire valoir ses mérites.
Naturellement, par Mrs. Emory, tout Lymstock a
pu être au courant !

— Aucun doute là-dessus.

— Une chose me surprend, dis-je. Pourquoi ma
sœur et moi avons-nous reçu des lettres? Nous
sommes étrangers au pays et personne ne peut
avoir le moindre grief contre nous !

— Vous ne tenez pas compte de la mentalité de la personne qui écrit ces lettres, répondit Nash. Tout lui est bon ! Elle n'en veut à personne en particulier, mais, si j'ose dire, à l'humanité tout entière !

— C'est là sans doute, remarqua Joanna d'un air pensif, ce que voulait dire Mrs. Dane Calthrop.

Nash interrogea ma sœur du regard, mais elle fit semblant de ne pas s'en apercevoir.

— Je ne sais pas, miss Burton, dit-il sans insister, si vous avez examiné soigneusement l'enveloppe de la lettre que vous avez reçue. Si vous l'avez fait, peut-être avez-vous noté qu'elle avait été originairement adressée à miss Barton et qu'on avait changé l'*a* en un *u*.

Cette remarque, si nous avions su en tirer parti, pouvait nous donner la clé de l'énigme tout entière. Mais aucun de nous n'entrevit tout ce qu'elle contenait.

Nash parti, je bavardais avec Joanna.

— Tu ne supposes pas, me dit-elle, que cette lettre que j'ai reçue était destinée d'abord à miss Emily?

— Ça me paraît douteux, répondis-je. Elle n'aurait pas commencé par les mots : « Vilaine poupée peinturlurée ! »

Elle en convint. Sur quoi, elle me conseilla de descendre en ville, afin de savoir un peu ce qu'il se disait. Je lui proposai de m'accompagner, mais, à ma grande surprise, elle refusa : elle avait à faire au jardin.

Au moment de partir, baissant la voix, je lui dis :

— Dis donc, si c'était Mary?

— Mary !

Son visage refléta une stupéfaction si sincère que
j'eus un peu honte de ma supposition.

— C'est une idée qui m'est venue, expliquai-je
comme pour m'excuser. Elle a des côtés bizarres,
c'est une vieille fille un peu aigrie, il serait bien
possible...

— Je ne crois pas. Où es-tu allé chercher ça?

— Mon Dieu! dis-je. J'ai réfléchi qu'elle nous
raconte ce qu'elle veut au sujet de ce que lui a dit
Agnès. Nous n'avons que sa parole. Suppose
qu'Agnès ait demandé à Mary au téléphone pourquoi elle était venue ce jour-là et pourquoi elle
avait déposé quelque chose dans la boîte aux lettres
et que Mary lui ait répondu qu'elle n'avait qu'à
venir dans l'après-midi et qu'elle lui expliquerait!

— Ensuite elle serait venue nous demander la
permission de recevoir Agnès?

— Oui.

— Mais, cet après-midi-là, Mary n'est pas sortie!

— Nous n'en savons plus rien. Souviens-toi!
Nous étions dehors.

— C'est juste. En somme, c'est une hypothèse,
mais je ne crois pas qu'elle soit fondée. Il ne suffit
pas d'envoyer les lettres, il faut aussi qu'on ne
puisse pas découvrir que vous les avez écrites. Je
ne vois pas Mary effaçant des empreintes ou falsi-
fiant des cachets. Il ne faut pas seulement être
adroit pour faire ce métier-là, il faut aussi savoir
des tas de choses qu'elle ignore. Non, je ne crois
pas que ce soit possible... Nash est toujours sûr
que l'auteur des lettres est une femme?

— Tu crois que ce serait un homme?

— Peut-être, répondit-elle. C'est à Mr. Pye
que je pense!

— C'est Pye ton pronostic?

— Pourquoi pas? Il est seul, pas heureux, jaloux de tout le monde. Il sait que les gens se moquent tous plus ou moins de lui. Je me le représente très bien haïssant tous les veinards qui mènent une vie normale et prennent une sorte de plaisir artistique à gâcher leur existence !

— Graves, dis-je, considère qu'il s'agit d'une vieille fille d'un âge déjà certain.

— C'est dans cette catégorie que je rangerais Mr. Pye ! Il est riche, mais l'argent n'arrange pas tout. De plus, j'estime qu'il a le cerveau un peu dérangé. A mon avis, c'est un petit bonhomme plutôt effrayant...

— N'oublie pas qu'il a reçu une lettre, lui aussi !

— Nous n'en savons rien, fit remarquer Joanna. C'est ce que nous pensons. Mais il se peut très bien qu'il nous ait joué la comédie !

— A nous?

— Il est assez fort pour ça... Et assez fort pour jouer juste !

— Si c'est un sketch qu'il nous a joué, c'est un acteur de grand talent.

— Mais, Jerry, il ne fait pas de doute que celui — ou celle — qui mène le jeu est un artiste de talent ! Cette comédie qu'il donne aux autres est partie de son plaisir !

— Joanna, m'écriai-je, tu finis par me faire peur ! Tu comprends si bien la mentalité du criminel que ça devient inquiétant !

— J'avoue que je me mets à sa place, dit-elle. Si je n'étais pas Joanna Burton, si je n'étais pas jeune, passablement jolie et capable de goûter les joies de l'existence, si j'étais... comment dire?... derrière des barreaux, voyant les autres s'amuser pendant que je suis malheureuse, il me semble qu'une révolte monterait en moi, que j'aurais envie de blesser, de torturer, même de détruire !

— Joanna !

Je la pris aux épaules et je la secouai avec énergie. Elle poussa un soupir et me sourit.

— Je t'ai fait peur, hein ? N'empêche que pour résoudre des problèmes de ce genre, c'est comme ça qu'il faut s'y prendre ! Il faut se mettre dans la peau du bonhomme, imaginer ses sentiments, ses réactions, ses mobiles ! Quand on y est bien, peut-être peut-on deviner ce qu'il va faire !

Je proférai un « Zut ! » retentissant.

— Enfin, ajoutai-je avec un soupir, n'oublions pas que le docteur m'a recommandé de m'intéresser aux scandales locaux ! Chers petits scandales locaux ! Allons voir ce qu'ils deviennent !

II

Joanna avait parfaitement raison. Dans High Street, les groupes étaient nombreux. Ma moisson serait riche.

Griffith, que je rencontrai d'abord, avait l'air malade et fatigué. A un point qui me surprit. Sans doute, un médecin n'a pas tous les jours à s'occuper d'une affaire de meurtre, mais la souffrance et la mort lui sont familières.

— Alors, lui dis-je, vous n'avez pas l'air en forme ?

— Vous trouvez ? me répondit-il. C'est sans doute parce que j'ai quelques malades qui m'ennuient.,.

— Y compris ce fou qui erre en liberté dans Lymstock ?

— Vous l'avez dit !

Il regardait au loin dans la rue. Je remarquai qu'un tic agitait sa paupière.

— Savez-vous qui ce fou peut bien être? demandai-je.

— Malheureusement non !

Il me parla de Joanna, sans transition, me disant qu'il avait des photographies à lui montrer. Je m'offris à les lui porter, mais il me répondit que ses visites le conduiraient vers « Little Furze » en fin de matinée.

Je me dis qu'il était bel et bien « chipé ». Satanée Joanna ! Griffith était un trop chic type pour qu'on eût le droit de se moquer de lui comme ça !

Apercevant sa sœur, à qui pour une fois j'avais envie de parler, je rendis sa liberté à Griffith. Aimée m'aborda avec une question :

— Il paraît que vous étiez là-bas très tôt?

Je me gardai de parler de l'appel téléphonique de Megan.

— C'est exact, répondis-je. Cette petite bonne devait prendre le thé à la maison et, finalement, on ne l'avait pas vue. La chose m'avait tracassé hier soir...

— Et vous craigniez le pire ! Vous avez du flair !

— Un limier à figure humaine !

Elle ne sourit même pas.

— C'est le premier meurtre que l'on commet à Lymstock, dit-elle. La ville est sens dessus dessous. Espérons que la police saura venir à bout de l'affaire !

— Faites-lui confiance ! Les policiers de Lymstock sont très bien.

— Je ne me souviens même pas du visage de cette petite ! Pourtant, elle a dû m'ouvrir la porte des douzaines de fois. Je ne l'aurai pas remarquée.

Il paraît — c'est Owen qui me l'a dit — qu'elle a été frappée sur la tête, puis qu'on lui a enfoncé un poignard au-dessous de la nuque. Un crime passionnel, sans doute. Qu'en pensez-vous?

— C'est votre opinion?

— C'est l'hypothèse la plus plausible. Elle aura eu une querelle avec son amoureux. Les gens, par ici, sont de tempérament très vif. C'est Megan, paraît-il, qui a trouvé le corps? Ça a dû lui donner un coup !

— Ce n'est que trop vrai !

— C'est bien dommage pour elle ! Cette petite n'a déjà pas la tête bien solide. Une affaire comme ça peut lui faire perdre la carte complètement !

Je pris une résolution subite. Il y avait quelque chose que je voulais savoir.

— Miss Griffith, dis-je, est-ce vous qui avez conseillé à Megan de rentrer chez elle ?

— Je ne saurais dire que je lui ai conseillé...

— Mais vous lui avez dit quelque chose ?

Elle se campa solidement sur ses jambes et me regarda droit dans les yeux. Je la sentais sur la défensive.

— Une jeune femme, affirma-t-elle, ne doit pas fuir ses responsabilités. D'autre part, les langues marchent. J'ai cru de mon devoir de le lui laisser entendre.

— Les langues?

J'étais trop furieux pour en dire plus.

Aimée continuait, avec cette ahurissante confiance en soi qui était le trait essentiel de son caractère :

— *Vous*, évidemment, vous n'êtes pas au courant de ce qui se raconte ! Mais, moi, je le sais ! Je suis absolument persuadée que tout ça ne repose sur rien, il n'y a aucun doute là-dessus, mais vous con-

naissez les gens! Quand ils peuvent dire du mal de
quelqu'un, ils ne laissent pas échapper l'occasion!
Et des ragots de ce genre finissent par faire beaucoup de tort à une jeune fille qui doit gagner sa
vie!

— Qui doit gagner sa vie?

Je ne comprenais plus.

— Elle est dans une situation très délicate, reprenait Aimée. Je crois qu'elle a fait ce qu'il
fallait faire. Elle ne pouvait pas s'en aller du jour
au lendemain, en abandonnant les enfants. Elle
a été très bien! Vraiment très bien! C'est ce que
je dis à tout le monde. Mais la situation n'en reste
pas moins fâcheuse et on n'empêchera pas les
gens de jaser!

— Mais enfin, demandai-je, de qui parlez-vous?

— D'Elsie Holland, bien sûr! répondit-elle avec
un peu d'impatience. C'est une charmante fille,
très sérieuse et, à mon avis, elle n'a fait que son
devoir!

— Et que raconte-t-on?

Aimée Griffith partit d'un rire qui me parut
infiniment désagréable.

— On prétend qu'elle envisage déjà la possibilité
de devenir la seconde Mrs. Symmington et qu'elle
est toute disposée à consoler le pauvre veuf, qui
la tient déjà pour indispensable.

— Mais, grands dieux! m'écriai-je, il n'y a pas
huit jours que Mrs. Symmington est morte!

Aimée Griffith haussa les épaules.

— C'est absurde, j'en suis d'accord! Mais vous
ne referez pas les gens! Cette petite Holland est
jeune et jolie. Il n'en faut pas plus! Et remarquez
que la carrière de gouvernante est pleine de possibilités pour une jeune femme! Qu'elle cherche un
mari et un foyer, qu'elle coure sa chance, ce n'est

pas moi qui le lui reprocherai ! Evidemment, le
pauvre Symmington ne se doute de rien; il n'est
pas encore remis de la mort de sa chère Mona, mais
les hommes sont les hommes ! Que cette fille reste
là, tenant sa maison, s'occupant de lui, aimant ses
enfants, ou en ayant l'air, et il est inévitable qu'il
lui tombe sous la patte !

— En somme, dis-je tranquillement, vous consi-
dérez Emily Holland comme une intrigante ?

Aimée Griffith rougit.

— Mais je n'ai jamais dit ça ! Je suis désolée
pour elle des méchancetés qu'on colporte sur son
compte et c'est pourquoi j'ai plus ou moins fait
comprendre à Megan qu'elle ferait bien de rentrer
chez elle ! Comme ça, Dick Symmington et Elsie
Holland ne sont pas seuls dans la maison. C'est
beaucoup mieux !

Mon silence semblait amuser Aimée.

— Je vois, monsieur Burton, que je vous ai cho-
qué en vous rapportant les racontars de notre petite ville. Je n'ajouterai qu'un mot : ici, quand on
parle des gens, c'est toujours en mal !

Elle rit, me salua d'un petit mouvement de tête
et s'éloigna.

III

Je rencontrai Mr. Pye près de l'église, en grande
conversation avec Emily Barton, très rouge et très
excitée.

Il m'accueillit comme s'il était ravi de me voir.

— Bonjour, Burton, bonjour ! Comment va votre
charmante sœur ?

— Très bien, je vous remercie.

— Mais elle n'est pas venue faire entendre sa voix dans notre petit parlement de village? Nous sommes tous impatients de savoir ! Un meurtre, pensez donc ! Un vrai crime, comme les aiment les journaux du dimanche, dans notre petite ville ! Evidemment, l'affaire n'est pas passionnante. Elle a un côté sordide. Il ne s'agit en somme que du brutal assassinat d'une malheureuse servante. On a vu des crimes plus raffinés. Mais, enfin, c'est indiscutablement une nouvelle !

— Pour moi, dit miss Barton, je trouve cette affaire horriblement choquante !

Mr. Pye se tourna vers elle.

— Oui, ma chère amie, mais elle vous amuse tout de même ! Avouez-le ! Vous êtes navrée, vous plaignez la victime, mais ça vous intéresse !

— C'était une si brave fille, reprit miss Barton. C'est le Foyer de Sainte-Clotilde qui me l'avait envoyée. Elle était très rustre, mais elle ne demandait qu'à bien faire et elle était devenue une bonne petite femme de chambre. Mary était très contente d'elle.

— Vous savez, dis-je, en m'adressant surtout à Pye, qu'elle devait prendre le thé avec Mary hier après-midi? Aimée Griffith a dû vous le dire?

J'avais parlé du ton le plus naturel et Pye me parut répondre sans méfiance.

— Effectivement, fit-il, elle m'en a touché un mot. Elle trouvait qu'il était assez nouveau que les domestiques se servissent du téléphone de leurs maîtres pour s'appeler entre eux.

— Le fait est, remarqua miss Barton, que jamais Mary ne se serait permis de faire une chose pareille et que je suis très étonnée qu'Agnès ait cru pouvoir le faire !

— Vous retardez, ma chère amie, dit Mr. Pye. Les deux terreurs qui règnent chez moi utilisent mon téléphone à longueur de jour et il a fallu que je me fâche pour obtenir qu'ils ne fument pas dans toutes les pièces. J'ai pris mon parti de ce que je peux éviter. Prescott est emporté, mais il cuisine comme un dieu et sa femme n'a pas sa pareille pour tenir une maison !

— Oui. Vous avez eu de la chance avec eux !

J'intervins, soucieux de porter la conversation sur un terrain plus intéressant.

— La nouvelle du meurtre, dis-je, s'est rapidement répandue.

— C'est forcé ! s'écria Mr. Pye. On bavarde chez le boucher, chez le boulanger, chez le marchand de bougies ! Les langues vont leur train et Lymstock est une ville qui s'abandonne ! Des lettres anonymes, des meurtres, la criminalité qui augmente...

— Vous ne pensez pas, demanda Emily Barton, qu'il y ait une relation quelconque entre ces horribles lettres et l'assassinat de cette pauvre fille?

Mr. Pye bondit sur la suggestion.

— C'est là une hypothèse du plus vif intérêt. La petite savait quelque chose. On l'a supprimée. C'est à voir ! Vous venez d'avoir là, ma chère amie, une riche idée !

— Elle me fait frémir !

Ayant dit, miss Barton prit rapidement congé de nous et s'en fut à petits pas pressés. Pye la regarda partir, sa grosse figure poupine éclairée d'un sourire ironique. Se retournant vers moi, il secoua la tête.

— C'est une petite âme sensible, dit-il. Une charmante créature, vous ne trouvez pas? Un vestige du passé. En réalité, elle n'appartient pas à sa génération, mais à celle qui l'a précédée. La mère devait être une maîtresse femme qui a dû maintenir tous ceux qui l'entouraient dans son époque à elle, 1870 probablement. La famille tout entière a été mise sous globe. C'est amusant...

Je revins au sujet qui m'intéressait.

— Cette affaire, demandai-je, qu'en pensez-vous?

— Qu'entendez-vous par « cette affaire »?

— Eh bien, tout ! Les lettres anonymes, le crime.

— Je vois, l'ensemble. Et vous?

— J'ai posé la question le premier.

Il sourit aimablement.

— Les anormaux me passionnent, dit-il, et je les ai beaucoup étudiés. Il arrive que les gens fassent des choses fantastiques, des choses dont on ne les aurait jamais crus capables. Prenez le cas de Lizzie Borden, par exemple. Impossible de l'expliquer d'une façon raisonnable. Dans l'affaire qui nous occupe, j'estime que la police devrait faire *un peu de psychologie*. Ne pas perdre son temps avec des histoires d'empreintes digitales, des mesures d'écritures, des comparaisons sous le microscope, etc. Au lieu de ça, voir ce que les gens font de leurs mains, s'inquiéter de leurs habitudes, de leurs tics et de leurs manies, les regarder manger, voir s'il ne leur arrive pas de rire sans cause apparente...

— Vous croyez qu'il s'agit d'un fou?

— Pour être fou, il est fou ! Complètement... Seulement, on ne s'en douterait pas !

— Qui est-ce?

Nos regards se rencontrèrent.

— Non, Burton, dit-il, souriant. Ce serait de la médisance. Nous n'allons pas ajouter la médisance à tout le reste !

L'instant d'après, il s'éloignait en sautillant.

IV

Je le regardais encore descendre la rue, m'amusant de l'étrangeté de sa démarche, quand le Révérend Caleb Dane Calthrop sortit de l'église.

Il me salua et vint vers moi.

— Bonjour, monsieur… monsieur…

Je vins à son aide.

— Burton !

— Mais oui, Burton ! N'allez pas croire que j'avais oublié votre nom ! Il m'échappait, simplement. Belle journée !

— Oui.

Il me dévisagea.

— Vous n'en paraissez pas convaincu ? reprit-il. C'est vrai !… Il y a la mort de cette malheureuse enfant qui était au service de Symmington. Je dois confesser, monsieur Burton, que je ne puis pas croire qu'il y ait un meurtrier dans le pays !

— Cela paraît fantastique, en effet !

Il se pencha vers moi, baissant la voix.

— J'ai aussi vaguement entendu parler d'autre chose. Il paraît qu'on aurait envoyé des lettres anonymes. Avez-vous eu connaissance de ce bruit ?

— On m'a parlé de ça…

— La lettre anonyme est une infamie.

Une interminable citation latine suivit.

— Ces vers d'Horace, conclut-il, sont toujours vrais. C'est bien votre avis ?

— Oh ! dis-je. Absolument !

V

Ne voyant plus personne avec qui je pourrais
bavarder avec profit, je repris le chemin de la maison, m'arrêtant toutefois en route pour acheter
du tabac et une bouteille de xérès, afin de recueil-
lir sur les événements l'opinion du « menu peuple ».

D'une façon générale, on attribuait le crime à
quelque chemineau.

— Ils viennent à la porte, ils pleurnichent, ils
demandent l'aumône et, s'il n'y a dans la maison
son qu'une femme toute seule, ils deviennent mauvais! Ma sœur, Dora, qui habite de l'autre côté
de Combeacre, pourrait vous en parler! Le bonhomme vendait des lacets et il était saoul...

La suite du récit montrait l'intrépide Dora fermant violemment la porte au nez de l'intrus, battant en retraite et se barricadant dans une retraite
qui n'était autre que les cabinets, pudiquement
désignés par une délicate périphrase, et où elle
devait rester jusqu'au retour de sa maîtresse.

J'arrivai à « Little Furze » quelques minutes
avant l'heure du déjeuner. Joanna était dans le
petit salon. Elle ne faisait rien et semblait perdue
dans ses pensées.

— Alors, lui demandai-je, qu'est-ce que tu as
fabriqué ce matin?

— Ma foi, rien de particulier !

Sous la véranda, deux chaises avaient été appro-
chées d'une table de fer, sur laquelle reposaient
deux verres dans lesquels on avait bu du xérès.
Sur une troisième chaise, je remarquai un objet
que je considérai avec une réelle stupéfaction.

— Qu'est-ce que ça peut bien être que ça?

— Ça? dit Joanna. C'est la photographie d'une

rate malade. Le docteur Griffith a pensé que ça m'intéresserait...

J'examinai la photographie avec curiosité. Chaque homme a sa façon à lui de faire la cour aux dames, mais il me semble qu'il ne me serait jamais venu à l'idée de faire la mienne en exhibant des documents de ce genre. Celui-là, il est vrai, il était probable que Joanna avait demandé à le voir.

— Ce n'est pas très joli, déclarai-je.

Ma sœur en convint, puis, comme je lui demandais des nouvelles de Griffith, elle me dit qu'il lui avait paru fatigué.

— Je crois, ajouta-t-elle, qu'il y a quelque chose qui le tracasse.

— Sans doute une rate qui résiste au traitement !

— Ne dis pas de bêtises ! Je parle sérieusement.

— Eh bien ! si tu veux mon avis, ce qui le tracasse, *c'est toi !* Tu devrais le laisser tranquille !

— Mais je ne lui ai rien fait !

— Les femmes n'avouent jamais leurs torts !

Elle me tourna le dos et s'éloigna, furieuse.

Sous l'action du soleil, la photographie de cette rate malade commençait de s'enrouler sur elle-même. Je la saisis délicatement par un coin et l'emportai au salon. Elle ne m'était pas particulièrement chère, mais je ne doutais pas que Griffith la considérât comme un trésor. Je pris, sur le rayon du bas de la bibliothèque, un livre, me proposant de glisser la photo entre les pages, afin de la presser. C'était un volume énorme, un recueil de sermons. Il s'ouvrit de lui-même entre mes mains.

Je compris immédiatement pourquoi : *à l'intérieur, un certain nombre de pages avaient été enlevées.*

VI

Stupéfait, j'examinai le bouquin. Je pris connaissance du titre. L'ouvrage avait été publié en 1840.

Impossible de douter ! Ce livre, c'était celui dont on s'était servi pour « composer » les lettres anonymes.

Ces pages, qui avait pu les couper ?

Je songeai d'abord à Emily Barton et à Mary, à qui il était normal de penser en premier lieu. Mais il y avait d'autres possibilités. Miss Barton pouvait avoir laissé seul dans la pièce un visiteur, qui avait eu tout le temps nécessaire pour couper les pages manquantes. Ou bien un fournisseur...

J'écartai vite cette dernière hypothèse. Un jour qu'un employé de la banque était venu me demander une signature, Mary l'avait introduit dans un petit cabinet, situé sur le derrière de la maison. Les gens qui venaient pour affaires n'entraient pas ici.

Restaient les visiteurs.

Qui ?

Mr. Pye ? Aimée Griffith ? Mrs. Dane Calthrop ?

VII

Après le déjeuner, je fis part de ma trouvaille à Joanna. Nous discutâmes longuement, puis j'emportai le livre au commissariat de police, où j'allais recevoir des félicitations que ne méritait guère ce qui n'était en réalité qu'un coup de chance.

Graves n'était pas là. Nash l'appela au téléphone et il fut entendu qu'on essaierait de relever sur le volume des empreintes digitales, opération dont le commissaire n'attendait d'ailleurs pas grand-chose. Il avait raison : on n'y devait trouver que mes propres empreintes et, prouvant qu'elle s'acquittait de ses devoirs avec conscience, celles de Mary.

Je demandai à Nash des nouvelles de l'enquête.

— Le cercle se rétrécit, me dit-il. Nous avons éliminé les personnes qui ne peuvent être coupables.

— Et qui vous reste-t-il ?

— D'abord, miss Ginch. Hier après-midi, elle avait rendez-vous avec un client de l'agence, dans une villa située sur la route de Cambeacre, au-delà de celle de Symmington, devant laquelle elle a dû passer, à l'aller comme au retour. La semaine dernière, elle a fait sa dernière journée à l'étude de Symmington le jour du suicide de Mrs. Symmington. Mr. Symmington croyait tout d'abord qu'elle n'avait pas quitté l'étude de tout l'après-midi. Il était en conférence avec sir Henry Lushington et, à plusieurs reprises, miss Ginch était venue lui apporter des documents. Mais j'ai établi qu'en réalité miss Ginche est sortie entre trois et quatre heures pour aller acheter des timbres au bureau de poste. C'est une course que le petit clerc aurait très bien pu faire, mais miss Ginch a préféré s'en charger, sous prétexte qu'elle avait un peu mal à la tête et que le grand air lui ferait du bien. Elle n'a d'ailleurs pas été absente longtemps...

— Mais assez cependant pour...?

— Assez pour courir à l'autre bout du village jeter la lettre dans la boîte et revenir à toute allure,

oui ! Je dois dire, toutefois, que personne ne l'a
vue du côté de la maison de Symmington.

— Aurait-on remarqué sa présence?

— Peut-être bien que oui, peut-être bien que
non ! Impossible de rien affirmer !

— Et indépendamment de miss Ginch?

Nash regardait droit devant lui.

— Il faut bien comprendre, déclara-t-il, que
nous ne pouvons mettre personne hors de cause !
Absolument personne !

— Je m'en rends très bien compte.

— Aimée Griffith est allée hier à une réunion
de Guides, à Brenton, dit-il d'une voix grave. Elle
est arrivée plutôt tard.

— Vous ne pensez pas...?

— Non, certes ! Mais *je ne sais pas*. Miss Griffith a l'air d'une femme parfaitement équilibrée.
Mais, je vous le répète, *je ne sais pas* !

— Aurait-elle pu, la semaine dernière, mettre
la lettre dans la boîte?

— Oui. Elle a couru les magasins de Lymstock
durant tout l'après-midi. Mêmes possibilités pour
miss Emily Barton. Hier, elle a fait des courses
au début de l'après-midi et, mercredi dernier, elle
est allée rendre visite à des amis qui habitent
sur la route, au-delà de la maison des Symmington.

Je hochai la tête, incrédule. Le livre aux feuilles
enlevées lui appartenant, il était naturel de songer à
miss Barton. Mais je l'avais vue, la veille, si gaie,
si joyeuse, si excitée... Sapristi ! Si elle avait les
joues rouges, si ses yeux brillaient, ce n'était pas
parce que...?

Je ne voulus pas aller jusqu'au bout de ma sup
position.

— Cette affaire ne vaut rien pour personne !
m'écriai-je. On finit par imaginer des choses...

— Vous avez raison, dit Nash. Il est très désagréable de penser aux gens qu'on rencontre tous
les jours en se demandant si ce ne sont pas des
demi-fous et des criminels?

Il se tut un instant.

— Et puis, reprit-il, il y a Mr. Pye...

— Vous avez songé à lui aussi ?

— Naturellement, répondit-il avec un sourire.
C'est un personnage assez singulier. Pas très sympathique, je dois l'avouer. Il n'a pas d'alibi. Hier,
comme mercredi dernier, il était dans son jardin.
Seul.

— Alors, vous ne suspectez pas seulement des
femmes?

— Je ne crois pas, et Graves est de mon avis,
que ce soit un homme qui ait écrit ces lettres,
avec une exception possible pour Pye, qui possède
une nature essentiellement féminine. Mais cette
conviction ne nous a pas empêchés de vérifier, pour
l'après-midi d'hier, *les alibis de tout le monde,
hommes et femmes.* Il s'agit d'un meurtre, ne
l'oublions pas. *Pour vous,* j'ai une certitude. Pour
votre sœur, également. Mr. Symmington n'a pas
bougé de son étude. Griffith était en tournée de
visites dans un tout autre secteur. J'ai contrôlé.

Il ajouta, souriant :

— Vous le voyez, nous faisons les choses sérieusement.

— Et le coupable, dis-je, ne saurait plus être
choisi qu'entre quatre personnes : miss Ginch,
miss Griffith, Mr. Pye et la petite miss Barton?

— Auxquels il faut tout de même joindre deux
ou trois suspects encore, dont Mrs. Dane Calthrop !

— Vous avez pensé *à elle?*

— Nous avons pensé *à tout le monde*. Evidemment, Mrs. Dane Calthrop est un peu trop manifestement piquée. Malgré ça, nous ne pouvons pas l'éliminer. Hier après-midi, elle était dans les bois où, paraît-il, elle observait les oiseaux. Malheureusement, les oiseaux ne viendront pas le confirmer !

Owen Griffith entrait dans le bureau.

— Bonjour, Nash ! On me dit que vous m'avez cherché, ce matin. Rien de grave ?

— Non. L'enquête pour vendredi, ça vous va ?

— Très bien. Je fais l'autopsie ce soir, avec Moresby.

— Autre chose, dit Nash. Mrs. Symmington prenait des cachets, une poudre que vous lui aviez ordonnée ?

— Oui.

— Ce médicament, absorbé à trop forte dose, aurait-il pu la tuer ?

— Certainement pas, répondit Griffith d'un ton sec. Il lui aurait fallu prendre vingt-cinq cachets, au moins !

— Mais n'abusait-elle pas de ce médicament ? Miss Holland m'a dit que vous avez un jour attiré son attention là-dessus.

— C'est exact. Mrs. Symmington était de ces malades qui ont tendance à exagérer les doses, s'imaginant sans doute qu'ils guériront deux fois plus vite s'ils prennent deux fois plus de médicaments qu'il leur est prescrit. C'est un jeu dangereux avec certaines drogues, comme par exemple l'aspirine. Mauvais pour le cœur. J'ai souvent fait la leçon à Mrs. Symmington. Mais, quant à la cause de sa mort, aucun doute, c'était de l'acide prussique.

— Je le sais, dit le commissaire, mais vous n'avez pas saisi ma pensée. Moi, il me semble que si je voulais me tuer, je préférerais le faire avec une dose massive de somnifère plutôt qu'avec de l'acide prussique.

— Oui, mais l'acide prussique est plus dramatique... et surtout plus sûr. Avec les barbituriques, par exemple, si l'on intervient assez vite, on est à peu près certain de ranimer la victime.

Je pris congé de Nash peu après Griffith et je rentrai à la maison sans me presser. Joanna était sortie — tout, du moins, le laissait supposer — et je trouvai, sur le bloc placé près du téléphone, une note manuscrite, laissée là, aussi bien à l'intention de Mary qu'à la mienne :

Si le docteur Griffith téléphone, ce n'est plus possible mardi, mais je peux m'arranger pour mercredi ou jeudi.

Je levai les yeux au ciel et passai au salon où, m'installant dans le fauteuil le plus confortable, je me mis à réfléchir.

L'arrivée de Owen dans le bureau de Nash avait bien fâcheusement interrompu la conversation, au moment où le commissaire venait de me dire qu'il y avait encore deux suspects.

Qui pouvaient-ils être?

D'abord, Mary, très probablement. C'est à « Little Furze » que le livre avait été trouvé. Agnès pouvait fort bien avoir été tuée par surprise par cette femme en qui elle avait toute confiance. Non, on ne pouvait pas éliminer Mary.

Mais l'autre? C'était sans doute quelqu'un que je ne connaissais pas. Peut-être cette Mrs. Cleat, que la rumeur publique avait accusée tout au début...

Fermant les yeux, je pensai aux autres personnes figurant sur la liste des coupables possibles.

Il y avait Emily Barton, si gentille, si frêle, si

menue. Que pouvait-on trouver qui fût de nature à l'accuser? Elle vivait chichement. Elle avait, depuis son enfance, vécu écrasée par la puissante personnalité de sa mère. On avait exigé d'elle trop de sacrifices. Elle avait horreur des gros mots. Fallait-il en conclure que c'était elle qui avait écrit ces lettres remplies d'ordures? Est-ce que je n'étais pas en train de devenir terriblement freudien?

Aimée Griffith? Impossible, dans son cas, de parler de « refoulement ». Elle débordait de vie et d'entrain; elle était toujours occupée, toujours en mouvement. Pourtant, parlant d'elle, Mrs. Dane Calthrop disait : « Pauvre fille. »

Et puis, il y a autre chose. Autre chose dont je me souvenais vaguement. Griffith ne m'avait-il pas dit que, lorsqu'il exerçait dans le nord de l'Angleterre, il avait assisté à un déferlement analogue de lettres anonymes? Aimée aurait recommencé ici une expérience déjà faite?

Minute ! J'oubliais... Griffith avait ajouté qu'on avait découvert l'auteur des lettres : une petite fille qui allait encore en classe.

J'eus un frisson. Il devait y avoir un courant d'air quelque part. Je me sentais mal à l'aise. Pourquoi tout d'un coup me trouvais-je dégoûté de tout et sans énergie?

Aimée Griffith? La petite fille avait été déclarée coupable, mais *qui pouvait dire qu'elle n'avait pas payé pour Aimée?* Pour Aimée qui s'était remise à écrire des lettres anonymes. Ce qui expliquait l'air soucieux et malheureux de son frère. Il se doutait de quelque chose. Certainement...

Il y avait aussi Mr. Pye. Un petit bonhomme en qui il était difficile d'avoir confiance. Je le voyais très bien manigançant toute l'affaire... Il devait trouver ça très amusant...

Je pensai de nouveau à ce message que Joanna avait laissé près du téléphone. Il m'ennuyait. Pourquoi?... Parce qu'il devenait clair que Griffith était tombé amoureux de Joanna? Non. Alors, pourquoi?

Je n'avais plus très bien conscience de ce qui se passait autour de moi. Le sommeil me gagnait. Stupidement, je répétais : « Pas de fumée sans feu !... Pas de fumée sans feu ! »

Après, j'étais dans la rue avec Megan. Elsie Holland passa. Habillée en mariée. Les gens chuchotaient : « Elle va tout de même l'épouser, son Griffith ! Il y a des années qu'ils sont secrètement fiancés ! »

Nous entrions à l'église. Dane Calthrop officiait en latin. Au beau milieu du service, Mrs. Dane Calthrop sautait sur sa chaise et s'écriait :

— Il faut que ça cesse, je vous dis ! Il faut que ça cesse !

Je fus une bonne minute à me demander si je dormais ou si j'étais éveillé. Puis, reprenant mes esprits, je me rendis compte que j'étais dans le salon de « Little Furze » et que j'avais devant moi Mrs. Dane Calthrop, qui, entrée par la porte-fenêtre, proclamait avec énergie :

— *Il faut que ça cesse,* je vous dis !

Je sursautai.

— Je vous demande pardon, dis-je. Je crois bien que je dormais. Vous disiez?

Frappant sa main droite fermée dans la paume de sa main gauche, elle répéta :

— Il faut que ça cesse ! Ces lettres, les crimes et tout le reste ! Il est inadmissible que de pauvres enfants innocentes, comme cette petite Agnès Woddel, soient *assassinées* !

— Vous avez cent fois raison, déclarai-je. Mais que pouvons-nous?

— Il faut faire quelque chose!

Je me permis un sourire. Un petit sourire supérieur, je le crains.

— Mais, encore une fois, madame, que voulez-vous que nous fassions!

— Il faut nettoyer ce pays! J'ai dit que les gens d'ici n'étaient pas mauvais. Eh bien! Je me trompais! Ils ne valent pas mieux que les autres!

Je commençais à la trouver ennuyeuse. Ma réplique fut tout juste polie :

— Oui, ma brave dame, mais qu'est-ce que vous voulez faire?

— Eh bien, mettre fin à tout ça!

— La police fait de son mieux.

— Ce « mieux » ne suffit pas, puisque hier on a pu tuer Agnès!

— Alors, vous vous croyez plus forte que la police?

— Pas du tout! Mais c'est justement parce que, *moi,* je ne sais que faire, que je vais faire appel à quelqu'un qui s'y connaît!

Je hochai la tête.

— Vous perdrez votre temps. Scotland Yard ne prendra l'affaire en main qu'à la demande du chef de la police du comté. Et, d'ailleurs, Scotland Yard nous a déjà envoyé Graves.

— Ce n'est pas à un policier que je pense, répliqua Mrs. Dane Calthrop. Ce qu'il nous faut, ce n'est pas quelqu'un qui sache mener une enquête, c'est quelqu'un qui soit au courant de la psychologie d'un être voué au mal!

C'était un point de vue. Mrs. Dane Calthrop ne me laissa pas le temps de le juger. Elle marqua la fin de sa phrase d'un énergique mouvement du

menton, se pencha vers moi et, sur le ton de la
confidence, ajouta :

— C'est de ça que je vais m'occuper maintenant !

Ayant dit, sans attendre ma réponse, elle s'en
fut par la porte-fenêtre par où elle était venue.

CHAPITRE X

I

La semaine qui suivit fut, je pense, une des plus
étranges de mon existence. J'avais l'impression de
vivre un rêve bizarre. Les choses ne paraissaient
pas vraies.

Tout Lymstock assista à l'enquête sur la mort
d'Agnès Woddel. Elle ne pouvait rien nous apprendre de nouveau. Le verdict fut celui qu'on attendait : « Meurtre par personne ou personnes incon-
nues. » Après quoi, la pauvre petite Agnès, un
instant tirée de son obscurité, fut ensevelie dans le
vieux cimetière de Lymstock, si calme et si tranquille, et la vie continua comme auparavant.

Non, pas comme auparavant...

Il n'était personne à Lymstock qui ne fût un peu
inquiet, voire effrayé. Les voisins se dévisageaient
sans indulgence. L'enquête avait clairement prouvé
qu'il était très improbable qu'Agnès Woddel eût
été tuée par un étranger. On n'avait aperçu dans la
région aucun chemineau suspect, aucun inconnu.

Il y avait donc dans Lymstock quelqu'un qui vivait la vie de tout le monde, qu'on rencontrait dans High Street, auquel on serrait la main, et qui avait pourtant eu l'atroce courage d'assommer une malheureuse fille sans défense et de lui enfoncer dans la nuque une broche finement aiguisée.

Ce « quelqu'un », nul ne pouvait lui donner un nom.

Situation intolérable. Pour moi, les gens m'apparaissaient sous un jour nouveau. Je voyais en tout le monde un meurtrier possible. Rien ne saurait être plus désagréable.

Le soir, les rideaux tirés, Joanna et moi nous discutions à perte de vue, échafaudant des hypothèses, dont la plupart étaient invraisemblables et certaines fantastiques.

Joanna restait fermement convaincue de la culpabilité de Mr. Pye. Pour moi, j'avais flotté longtemps avant de revenir à ma première idée : miss Ginch. Mais nous reprenions régulièrement pour l'examiner notre liste de suspects, sans en excepter aucun.

Mr. Pye ? Miss Ginch ? Mrs. Dane Calthrop ? Aimée Griffith ? Emily Barton ? Mary ?

Et, avec une impatience croissante, nous attendions que quelque chose se produisît.

Mais rien ne se produisait. Personne, à notre connaissance, n'avait reçu une nouvelle lettre. Nash se montrait en ville de temps à autre, mais je n'avais pas la moindre idée des progrès de son enquête, non plus que des pièges sans doute tendus par les policiers. Graves n'était plus là.

Emily Barton vint prendre le thé à la maison. Nous eûmes Megan à déjeuner. Owen Griffith visitait ses malades. Mr. Pye nous reçut de nouveau chez lui. Son xérès était excellent. Et puis, nous prîmes le thé chez Mrs. Dane Calthrop.

Je fus heureux de constater qu'elle n'affichait plus cette ardeur combative qui l'animait à notre précédente entrevue. Elle semblait avoir oublié ses projets et songer uniquement aux moyens de détruire les papillons blancs qui ravageaient ses choux-fleurs.

Nous passâmes chez elle un après-midi très agréable. La maison était ancienne et le balcon, avec ses fauteuils d'un rose passé, avait un charme vieillot qui m'enchanta. Mrs. Dane Calthrop nous présenta à une amie qui séjournait chez elle, une demoiselle âgée, très aimable, qui tricotait quelque chose avec un énorme peloton de laine mousseuse. Des beignets bien chauds accompagnaient le thé. Le Révérend vint nous rejoindre. Il parla avec son érudition habituelle et se montra très gentil. Le temps passait sans qu'on s'en aperçût.

Je ne prétendrai pas qu'on ne s'entretint pas du crime. Au contraire, il ne fut guère question d'autre chose.

L'affaire passionnait miss Marple. (C'était le nom de la vieille demoiselle.)

— Il se passe si peu de choses à la campagne ! disait-elle, comme pour s'excuser.

Pour elle, la pauvre Agnès devait ressembler à Edith, sa petite bonne.

— Gentille, pleine de bonne volonté, mais parfois un peu lente à comprendre !

L'histoire des lettres l'intéressait aussi, parce qu'un de ses cousins avait une belle-sœur dont la nièce avait reçu des lettres anonymes qui l'avaient bien ennuyée.

— Ces lettres, demanda-t-elle, d'après les gens de Lymstock, qui les envoie?

— Pour eux, répondit Joanna, c'est toujours Mrs. Cleat!

Mrs. Dane Calthrop protesta :

— Oh! non. *Plus maintenant!*

Miss Marple demanda qui était Mrs. Cleat. Joanna la renseigna :

— C'est la sorcière du village. N'est-ce pas, madame Dane Calthrop?

Le Révérend y alla d'une longue citation latine, relative, j'imagine, au pouvoir maléfique des sorcières. Je l'écoutai avec respect. Et sans comprendre, bien entendu.

— C'est surtout, dit Mrs. Calthrop, une femme qui sait se faire valoir. Elle va cueillir des herbes quand la lune est pleine et elle prend bien soin que tout le monde le sache!

— Et, naturellement de pauvres imbéciles de filles vont la consulter.

Je ne laissai pas à Mrs. Calthrop le temps de répondre à la question de miss Marple. Ayant deviné que le Révérend allait nous gratifier d'une nouvelle citation latine, je m'empressai de demander pourquoi les gens du pays avaient cessé de voir en Mrs. Cleat l'auteur des lettres.

— Mais, répondit miss Marple, c'est parce que cette jeune fille a été tuée avec *une broche*!... Une mort terrible, vraiment!... Après cela, on ne peut plus suspecter Mrs. Cleat! Si elle avait voulu du mal à cette petite, il lui suffisait de lui jeter un sort! Elle serait morte de mort naturelle!

— La persistance de ces vieilles superstitions, dit le Révérend est très curieuse. Aux premiers temps du christianisme, les croyances locales furent sagement incorporées à la doctrine chrétienne, dont elles ne devaient disparaître que peu à peu, par degrés.

— Dans le cas présent, fit remarquer Mrs. Dane
Calthrop, il ne s'agit pas de superstitions, mais de
faits!

— Et de faits très désagréables! dis-je.

Miss Marple se tourna vers moi.

— Monsieur Burton, fit-elle, vous êtes étranger
à la région. Ne voyez, je vous prie, dans ces mots,
aucune intention désobligeante. Vous connaissez le
monde, vous connaissez la vie. Il me semble que
vous devriez être en mesure de trouver la solution
de ce vilain problème!

— Je l'ai trouvée, répondis-je en souriant, mais
c'était en rêve. Tout s'expliquait, rien ne demeu-
rait obscur. Malheureusement, à mon réveil, je me
suis aperçu que tout cela ne tenait pas debout!

— C'est très intéressant! Racontez-nous ça!

— Je crois, dis-je, que mon rêve a commencé
sur une phrase que les gens d'ici ont répétée à
satiété : « Pas de fumée sans feu!... » Après, sont
venus des termes de guerre : écrans de fumée, chif-
fons de papier, messages téléphoniques... Ah! non!
Ça, c'est un autre rêve!

— Un autre? Racontez-le-nous aussi!

La vieille demoiselle, je ne pouvais plus en douter, devait, comme la nourrice qui m'avait élevé,
avoir fait de la *Clé des Songes* son livre de chevet.

— Oh! dis-je, c'est un rêve stupide. Elsie Holland, la gouvernante des petits Symmington, épou-
sait le docteur Griffith, le Révérend, ici présent,
célébrait le service en latin et Mrs. Dane Calthrop
se levait en déclarant : « Il faut que cela cesse! »

Je me tournai vers Mrs. Dane Calthrop, pour lui
sourire.

— Seulement, ajoutai-je, à ce moment-là, je ne
rêvais plus. Vous étiez devant moi et c'était bien
là ce que vous disiez!

— Non sans raisons, d'ailleurs, déclara-t-elle
avec un calme qui me fit plaisir.

Miss Marple fronçait le sourcil :

— Mais le message téléphonique? Je ne le vois
pas dans votre rêve...

— Le fait est qu'il n'y était pas. J'ai confondu.
Ce message, je l'avais trouvé juste avant de m'endormir. C'était un mot de ma sœur, à transmettre
si quelqu'un l'appelait...

Miss Marple se pencha vers moi. Ses pommettes
s'étaient colorées de rose.

— Serais-je très indiscrète et très impolie, cher
monsieur, si je vous demandais en quoi consistait
exactement ce message?

Elle se tourna vers ma sœur :

— Croyez, chère amie, que je m'excuse...

Joanna, qui s'amusait beaucoup, rassura la
vieille demoiselle : elle ne se rappelait pas de quoi
il s'agissait. Je m'efforçai de reconstituer le texte
du message, dont je me souvenais à peu près, et,
très flatté de l'attention que voulait bien m'accorder miss Marple, je le lui répétai. J'avais peur de
la décevoir, mais elle parut très satisfaite.

— Je me doutais bien, dit-elle, que ce devait être
quelque chose comme ça.

— Comment ça « comme ça »? demanda
Mrs. Dane Calthrop.

— Eh bien! répondit miss Marple, quelque chose
de tout à fait banal!

Puis, m'ayant longuement dévisagé, elle ajouta
de façon inattendue :

— Vous avez beaucoup de qualités, monsieur Burton, mais vous manquez de confiance en
vous. Vous avez tort!

Joanna protestait avec indignation.

— Pour l'amour de Dieu, ne lui dites pas des

choses comme ça ! Il a déjà bien assez bonne opinion de lui-même !

Miss Marple avait repris son tricot.

— Voyez-vous, dit-elle, pour réussir un meurtre, c'est un peu comme un tour de prestidigitation. Il ne suffit pas d'opérer rapidement, il faut surtout que les gens ne regardent pas où vous ne voulez pas qu'ils regardent !

— Jusqu'ici, remarquai-je, il semble bien que, ce demi-fou qui circule en liberté, tout le monde l'a cherché où il ne se trouvait pas.

— Pour ma part, déclara miss Marple d'un air songeur, ce n'est pas un fou que je cherchais, mais quelqu'un de parfaitement raisonnable.

— Nash est de cet avis également, dis-je. Il croit en outre que c'est quelqu'un qui jouit de l'estime générale.

Miss Marple partageait cette opinion.

— Nash, repris-je, m'adressant à Mrs. Dane Calthrop, pense qu'il y aura encore des lettres anonymes. Le croyez-vous ?

— Il peut y en avoir encore, répondit-elle.

— Si c'est là la conviction de la police, dit miss Marple, il y en aura sûrement encore. Aucun doute là-dessus !

Je me tournai vers Mrs. Dane Calthrop.

— Vous plaignez toujours l'auteur de ces lettres ?

— Pourquoi non ? répondit-elle, rougissant légèrement.

— Je ne crois pas, ma chère amie, dit miss Marple, que, dans ce cas particulier, je puisse être d'accord avec vous !

— Car, enfin, m'écriai-je, l'être abject qui écrit ces lettres a conduit une femme au suicide et causé toutes sortes de malheur, que nous ne connaissons pas tous !

Miss Marple demanda à ma sœur si elle avait reçu une de ces vilaines lettres.

— Bien sûr ! répondit Joanna. Elle racontait de véritables horreurs !

— Je ne serais pas surprise, déclara miss Marple, que l'auteur de ces lettres s'en prît plus volontiers aux jeunes et jolies femmes.

— C'est bien pourquoi je m'étonne que miss Holland n'ait rien reçu, dis-je.

— Cette miss Holland, c'est la gouvernante des petits Symmington, cette jeune femme qui se trouvait dans votre rêve ?

— Oui.

— Il est probable qu'elle a reçu une lettre et qu'elle ne veut pas le dire.

— J'en doute. Elle affirme que non et Nash la croit.

— C'est très intéressant, dit miss Marple, pensive. C'est même ce que j'ai entendu de plus intéressant jusqu'à présent !

II

Joanna, tandis que nous revenions vers « Little Furze », me reprocha d'avoir répété ce que Nash m'avait dit quant à la probabilité de l'envoi de nouvelles lettres !

— Ça n'a aucune importance ! dis-je.

— Erreur ! Car c'est peut-être Mrs. Dane Calthrop qui les écrit, ces lettres !

— Tu dis ça, mais tu n'en crois pas un mot !

— Je n'en sais trop rien. C'est une femme bien bizarre !

Nous recommencions l'interminable discussion…

Le surlendemain, je revenais en voiture d'Exhampton, où j'avais dîné. La nuit était tombée et j'avais des difficultés avec mes phares. Je fis des essais multiples, les allumant et les éteignant un nombre incalculable de fois, puis, de guerre lasse, j'arrêtai la voiture pour examiner sérieusement mon éclairage. Je réussis à le faire fonctionner normalement et je repartis.

La route était déserte. J'arrivai aux abords de Lymstock sans rencontrer personne. J'apercevais les premières maisons du pays et, parmi elles, l'immeuble de l'Institut féminin, dont les pignons se découpaient, plus noirs, sur le ciel obscur. Je ralentis et j'arrêtai la voiture. Pourquoi? Je l'ignore. Peut-être parce qu'il me semblait avoir entrevu une silhouette furtive qui franchissait la grille… En tout cas, je ne m'en avisai pas sur le moment et c'est je ne sais quelle curiosité me poussant que, sans savoir pourquoi, je quittai mon siège et poussai la grille demeurée entrouverte. J'avançai dans l'allée qui menait au perron de la porte d'entrée.

Je m'immobilisai, indécis. Qu'est-ce que je faisais là? A vrai dire, je n'en savais rien. Je me posais la question quand j'entendis, très rapproché, un bruissement, comme un frou-frou de robe. Je me portai rapidement vers le coin de la maison d'où le bruit m'avait semblé venir. Ne voyant personne, j'avançai de quelques pas. Bientôt, j'arrivai devant une fenêtre ouverte.

Je risquai un œil à l'intérieur et j'écoutai. Tout était silencieux. Pourtant, j'étais sûr que quelqu'un était là.

Mes reins me faisaient encore souffrir et j'étais encore assez peu apte à l'acrobatie, mais je n'en réussis pas moins, avec bien des efforts, à escalader

la fenêtre. J'atterris sur le plancher avec plus de
bruit que je ne l'aurais désiré. Je demeurai un instant sans bouger, puis, rien ne semblant indiquer
qu'on m'eût entendu, j'avançai prudemment dans
le noir, les mains tendues. Un petit bruit très lé-
ger, sur ma droite, me décida à prendre dans ma
poche ma lampe électrique, dont je pressai le bouton.

— Eteignez ça ! ordonna alors, très bas, une voix
que je connaissais bien.

C'était celle du commissaire Nash.

Le policier me prit par le bras et me conduisit
dans un couloir sans fenêtres, où il pouvait allumer
sa lampe électrique sans le moindre inconvénient.
Il projeta sur mon visage le faisceau lumineux de
sa torche, et me regarda avec, me sembla-t-il, plus
de chagrin que de colère.

— C'était fatal ! murmura-t-il. J'aurais dû me
douter que vous choisiriez juste ce moment-ci pour
venir !

Je m'excusai.

— Je suis navré. Mais j'ai eu soudain comme
une idée qu'il se passait ici quelque chose d'anormal !

— Pas si mal raisonné ! Vous avez vu quelqu'un ?

— Je n'en suis pas sûr. J'ai vaguement l'impression que j'ai aperçu quelqu'un qui se glissait entre
les vantaux de la grille d'entrée, mais je ne peux
pas dire positivement que j'ai vu quelqu'un. Peu
après, j'ai entendu sur le côté de la maison comme
le frou-frou d'une robe.

— Vos sens ne vous trompaient pas, dit Nash.
Quelqu'un est venu rôder autour de la maison un
peu avant vous. On a hésité devant la fenêtre, puis
on s'est éloigné rapidement. Sans doute vous avait-
on entendu...

Je renouvelai mes excuses.

— Puis-je savoir ce que vous espérez? demandai-je ensuite.

— C'est tout simple, répondit Nash. Je spécule sur le fait que l'auteur des lettres anonymes ne peut pas cesser d'en écrire, si dangereux que le jeu puisse devenir. C'est pour lui un besoin. Assez analogue à celui qui travaille l'intoxiqué qui ne peut se passer de sa drogue.

Il s'interrompit quelques secondes et poursuivit :

— J'ai idée que la femme qui écrit ces lettres, quelle qu'elle soit, tient à ce que ses prochaines lettres ressemblent autant que possible à celles qu'elle a déjà envoyées. Pour l'intérieur, pas de difficulté : elle n'a qu'à continuer à découper des lettres et des mots dans les pages du livre qu'elle a volées. Pour les enveloppes, elle a peut-être des ennuis. Il faut qu'elle les tape sur la machine à écrire dont elle s'est servie jusqu'à présent. Il serait imprudent d'utiliser une autre machine ou de les écrire à la main.

— Vous paraissez absolument persuadé qu'il y aura d'autres lettres, dis-je, sceptique.

— Il y en aura ! Et je vous parierais ce que vous voulez que la dame en question est aussi sûre d'elle-même qu'elle ne l'a jamais été ! Ces gens-là prennent toujours les autres pour des imbéciles !... Bref je suis venu l'attendre ici, convaincu qu'elle y viendra un soir, à cause de la machine.

— C'est miss Ginch que vous attendez?

— Peut-être !

— Vous n'en savez toujours rien?

— Je n'ai aucune certitude.

— Mais vous avez des soupçons?

— Oui. Mais l'adversaire est malin, monsieur Burton. Il connaît tous les trucs !

Je me rendais compte que Nash n'avait pas perdu son temps. Aucun doute, toutes les lettres écrites par une des personnes suspectes, qu'elles fussent jetées à la porte ou déposées dans une boîte, toutes ces lettres avaient été examinées par lui. Tôt ou tard, le criminel ferait un faux pas, négligerait de prendre des précautions, et Nash l'emporterait.

Je m'excusai pour la troisième fois d'avoir imposé au commissaire mon indésirable présence; il me rassura gentiment et je pris congé, retournant à ma voiture.

Il y avait quelqu'un près de l'automobile. A ma grande stupeur, je reconnus Megan.

— Je m'étais bien doutée que c'était votre bagnole ! s'écria-t-elle. D'où venez-vous?

— Et vous, qu'est-ce que vous faites dehors à cette heure-ci?

— Je me promène. J'aime marcher la nuit dans la campagne. Il n'y a personne pour vous arrêter et vous raconter des inepties. On respire dans l'air des odeurs qu'on ne remarque pas pendant le jour, les choses prennent un air mystérieux... Et puis, j'aime les étoiles !

— Je vous accorde tout ça, dis-je. Mais il n'y a que les chats et les sorcières qui se promènent dans le noir ! On doit, chez vous, se demander ce que vous êtes devenue.

— Pensez-vous ! On ne s'inquiète jamais de l'endroit où je peux être, ni de ce que je fais !

— Comment ça va, là-bas? demandai-je.

— Bien, il me semble !

— Miss Holland s'occupe un peu de vous?

— Elle est très aimable. Un peu idiote, mais ce n'est pas sa faute !

— Ce n'est pas très gentil, ce que vous dites là,

mais c'est probablement vrai. Allez, montez! Je vous reconduis!

Qu'on ne s'inquiétât jamais de ce que devenait Megan, c'était faux. Symmington était sur le pas de sa porte quand nous arrivâmes. Il reconnut ma voiture et me cria, avant même qu'elle fût arrêtée :

— Megan est avec vous?

— Je vous la ramène.

Elle sauta à terre.

— Megan, lui dit-il, il ne faut pas t'en aller comme ça sans prévenir personne! Miss Holland t'a cherchée partout!

Megan murmura quelques mots parfaitement inaudibles et, passant devant son père, rentra dans la maison.

Symmington soupira.

— Une grande fille qui n'a pas une mère pour s'occuper d'elle, c'est une bien lourde responsabilité! Elle est tout de même trop âgée pour que je la remette en pension!

Il me regardait d'un œil soupçonneux.

— Vous l'avez emmenée faire une promenade?

Je jugeai préférable de le lui laisser croire et je répondis oui.

CHAPITRE XI

I

Le lendemain, je devins fou. Quand je réfléchis à ce qui s'est passé ce jour-là, je ne vois pas d'autre explication possible.

J'avais rendez-vous, comme tous les mois, avec Marcus Kent, qui m'examinait. J'allai à Londres par le train. Contrairement à son habitude, Joanna décida de ne pas m'accompagner. Je lui dis que nous reviendrions le soir même. Elle resta sur ses positions, prenant un air énigmatique pour me déclarer qu'elle avait énormément à faire et ajoutant qu'il fallait être ridicule pour aller mijoter dans la chaleur d'un wagon de chemin de fer quand il faisait si beau à la campagne. C'était exact, je le reconnais, mais ça ne ressemblait guère à Joanna.

Ma sœur m'ayant assuré qu'elle n'avait pas besoin de la voiture, je pris l'auto pour aller à la gare, qui, pour d'obscures raisons que doivent seuls connaître les dirigeants de la compagnie, se trouve à un bon kilomètre en dehors de la ville.

A mi-chemin, je rencontrai Megan qui flânait. Je m'arrêtai.

— Bonjour, Megan ! Que faites-vous?

— Je me promène.

— A une allure qui ne vous fatiguera pas ! Je vous regardais de loin. Vous vous traîniez comme un vieux crabe dégoûté de la vie !

— C'est parce que je ne vais nulle part. Alors...

— Dans ce cas-là, montez ! Vous m'accompagnerez jusqu'à la gare !

Elle s'assit à côté de moi.

— Où allez-vous? me demanda-t-elle.

— A Londres, voir mon médecin.

— Vous n'allez pas plus mal, non?

— Non. Ça va même très bien et j'espère que Marcus Kent sera content de moi !

Elle approuva en souriant.

A la gare, je m'occupai d'abord de la voiture, que je garai, puis je pris mon billet. Il n'y avait que peu de monde sur le quai et personne que je connusse.

Megan m'emprunta une pièce de monnaie pour glisser dans la fente d'un distributeur automatique. Elle s'était aperçue qu'elle avait envie d'une tablette de chocolat. Je la regardais avec une irritation croissante. Elle portait des souliers qui n'avaient plus de forme, des bas grossiers particulièrement laids, une jupe et une veste qui ne ressemblaient à rien. Tout cela aurait dû m'être indifférent. Et tout cela faisait plus que m'agacer !

— Megan, dis-je d'un ton bourru quand elle revint, pourquoi mettez-vous ces horreurs de bas?

Elle les examina, très surprise.

— Qu'est-ce que vous leur reprochez?

— Tout ! Ils sont odieux ! Et votre pull-over, vous croyez qu'il est joli?

— Il est très bien ! Il y a des années que je l'ai

— Je m'en doute ! Et pourquoi...

Le train entrait en gare. J'interrompis mon sermon et grimpai dans un compartiment vide. Installé, je baissai la vitre et me penchai au-dehors
pour continuer la conversation. Megan était sur le
quai, son visage levé vers moi. Elle me demanda
pourquoi j'étais fâché.

— Je ne suis pas fâché, répondis-je au mépris
de toute vérité, je suis furieux !... Furieux de vous
voir mise avec tant de négligence, furieux de constater que ça vous est égal d'être bien ou mal habillée !

— De toute façon, répliqua-t-elle, je ne serais
pas jolie ! Alors, qu'est-ce que ça peut faire ?

— Comment vous seriez, vous ne le savez pas !
Je voudrais vous voir bien arrangée, une fois, rien
qu'une fois ! Je voudrais pouvoir vous emmener à
Londres et vous équiper des pieds à la tête !

Le train s'ébranlait. Megan était toujours là, son
petit visage pensif levé vers moi.

C'est alors que, comme je l'ai dit tout a l'heure,
je devins fou.

Brusquement, j'ouvris la porte, j'empoignai Megan par le bras et je la hissai dans le compartî-
ment. Elle atterrit un peu brutalement sur le plancher du wagon. Je la remis doucement sur ses
pieds.

— Pourquoi avez-vous fait ça ? me demanda-t-elle,
tout en s'essuyant les genoux.

— Mystère et discrétion ! répondis-je. Vous venez
à Londres avec moi et, quand je me serai occupé
de vous, vous passerez devant une glace sans vous
reconnaître. Je vais vous montrer à quoi vous pouvez ressembler si vous en avez la volonté. J'en ai
assez de vous voir comme vous êtes !

L'arrivée du contrôleur la dispensa de répliquer

mais elle paraissait ravie. Je pris pour elle un billet d'aller et retour, tandis qu'elle s'asseyait en face de moi, me regardant avec crainte et respect.

— Vous prenez vos décisions tout d'un coup! me dit-elle après le départ du contrôleur.

— Toujours! Dans la famille nous sommes comme ça!

Comment lui aurais-je expliqué ce qui m'avait pris? Sur le quai, elle avait l'air d'un pauvre chien abandonné. Maintenant, elle me faisait songer à un brave chien qui n'est pas encore tout à fait sûr que c'est bien vrai qu'on l'emmène en promenade.

— J'imagine, dis-je, que vous connaissez Londres assez mal.

— Je le connais. Je l'ai traversé plusieurs fois quand j'étais en pension et j'y suis allée pour me faire soigner les dents et, une autre fois, pour la pantomime de Noël.

— C'est un autre Londres que vous allez découvrir!

A l'arrivée, mon rendez-vous me laissait une demi-heure devant moi. Nous montâmes en taxi pour nous rendre directement chez Mirotin, le couturier de Joanna. Mirotin, en fait, est une charmante femme d'une quarantaine d'années, d'allure sportive, qui s'appelle Mary Grey et qui m'a toujours été sympathique.

— Vous êtes ma cousine! dis-je à Megan, en pénétrant dans les salons.

— Pourquoi?

— Ne discutez pas!

Mary Grey s'élevait avec fermeté contre les intentions d'une Juive dodue qui prétendait lui acheter une robe du soir bleu pastel dans laquelle elle ne

pouvait manquer d'être grotesque. Elle abandonna
sa cliente pour m'accorder, dans un coin du salon,
les deux minutes d'entretien que je lui avais fait
demander.

— Je vous amène, lui expliquai-je, une petite
cousine à moi. Joanna voulait venir mais elle a été
empêchée. Elle s'en rapporte entièrement à vous.
Vous voyez de quoi l'enfant a l'air?

— Mon Dieu, oui! dit Mary, d'un ton pénétré.

— Bon!... Eh bien! il faut qu'elle soit parfaite
en sortant d'ici. Vous avez carte blanche. Bas, souliers, sous-vêtements, robe, il lui faut tout! Le
coiffeur de Joanna habite tout près, je crois?

— Antoine? Juste au coin. Je lui ferai signe!

— Vous êtes une femme étonnante!

— Non! Mais, sans parler de la question d'argent qu'on ne peut pas négliger par le temps qui
court, surtout quand la moitié de vos belles clientes
oublient de vous payer, ça m'amusera!

Elle jeta un coup d'œil connaisseur sur Megan,
qui se tenait respectueusement à quelque distance.

— Elle est très jolie, cette petite! conclut-elle.

— Vous devez avoir des rayons X à la place des
yeux, dis-je. Pour ma part, je suis incapable de
me prononcer!

— Elles sont toutes comme ça quand elles sortent de pension, dit Mary Grey en riant. Ces petites qui sont en train de devenir des femmes, on dirait que le mot d'ordre est de faire qu'elles ne
ressemblent à rien du tout! Et, quelquefois, il faut
toute une saison pour leur donner figure humaine!
Pour celle-ci, soyez tranquille, je m'occupe d'elle
moi-même!

— Bravo, dis-je. Je viendrai la reprendre vers
six heures.

II

Marcus Kent se déclara très satisfait de moi.
Ses prévisions les plus optimistes étaient dépassées.

— Pour récupérer comme vous l'avez fait, me
dit-il, il faut que vous ayez la constitution d'un
éléphant ! C'est en tout cas la preuve que le grand
air, une bonne hygiène et une vie calme et paisible
suffisent à remettre sur pied un homme qui veut
guérir.

— Je vous accorde le grand air et la bonne
hygiène, répondis-je, mais n'allez pas croire qu'on
mène à la campagne une vie sans émotions ! J'estime que je viens d'en avoir ma part !

— Quel genre d'émotions ?

— Celles qui accompagnent un meurtre.

Marcus Kent émit un petit sifflement discret.

— Un drame passionnel et champêtre ?. Un garçon de ferme qui a tué sa bonne amie ?

— Nullement. Un fou assassin...

— N'ai-je pas lu quelque chose là-dessus ? On l'a
arrêté ?

— Pas du tout ! J'ai dit un « fou », mais, en
réalité, c'est une folle...

— Bigre !... Mais, dans ces conditions, je ne suis
plus tellement sûr que Lymstock soit pour vous un
endroit idéal !

— Je le trouve parfait et je vous préviens que
vous ne m'en ferez pas partir !

Marcus Kent est très terre à terre.

— Ah ! fit-il. Nous sommes tombés amoureux
d'une jolie blonde ?

Je pensai fugitivement à Elsie Holland.

— Non, répondis-je. C'est ce crime dont je vous parlais qui m'intéresse. Du point de vue psychologique, bien entendu.

— Parfait ! Veillez seulement à ce que cette folle ne vous supprime pas, *vous* !

— Aucun danger !

— Vous dînez avec moi ce soir? Vous me raconterez ce crime rustique...

— Navré ! Je suis pris.

— Une belle dame, probablement?... Ah! vous vous portez mieux !

J'arrivai sous le porche de Mirotin à six heures, au moment de la fermeture. Mary Grey vint à ma rencontre en haut de l'escalier conduisant aux salons. Elle avait un doigt sur ses lèvres.

— Vous allez recevoir un choc! m'annonça-t-elle. Ce n'est peut-être pas à moi de le dire, mais nous avons fait du beau travail !

Megan, debout devant une glace, contemplait son image. J'avoue que, lorsque je l'aperçus, le souffle me manqua : j'avais peine à la reconnaître ! Elle m'apparaissait grande et élancée, avec des chevilles délicates et fines. Elle avait de beaux bas de soie et des souliers fort élégants, qui mettaient en valeur un pied dont la taille menue me surprit. Il y avait dans toute sa personne un air de distinction naturelle qui m'enchanta. Elle avait de la race. J'admirai sa chevelure châtain, artistement peignée, et je constatai avec plaisir qu'on avait eu le bon goût de ne pas la maquiller ou qu'on l'avait fait, en tout cas, avec une discrétion méritoire. Ses lèvres n'avaient pas besoin de rouge. Je remarquai, en outre, qu'elle se tenait mieux. La ligne de son cou était ravissante.

Elle m'aperçut dans la glace et se retourna. Elle souriait, avec un petit air grave et timide.

— Je suis... plutôt bien, n'est-ce pas? dit-elle.

— Plutôt bien ! m'écriai-je. Vous êtes modeste !
Allons dîner ! S'il n'y a pas un homme sur deux
pour se retourner sur vous, je veux qu'on me
pende ! A côté de vous, les autres vont avoir l'air
de vilaines poupées mal fagotées !

Megan n'était pas très jolie, mais elle avait un
visage curieux et intéressant. Elle avait de la personnalité. Je la fis passer devant moi pour entrer
dans le restaurant et, au moment où le maître d'hô-
tel se précipita à notre rencontre, j'éprouvai cette
espèce de vanité imbécile qui s'empare de l'homme
qui s'imagine posséder ce que les autres n'ont pas.

Nous bûmes quelques cocktails, sans nous presser, puis nous dînâmes. Ensuite, nous dansâmes :
Megan m'avait dit adorer la danse et je n'avais
pas voulu lui refuser ce plaisir. Je ne sais trop
pourquoi, cependant, je m'imaginais qu'elle dan-
sait mal. Je découvris bientôt qu'il n'en était rien.
Elle était légère comme une plume et ses pas se
modelaient admirablement sur le rythme imposé
par son cavalier.

— Mais, lui dis-je, vous dansez à ravir !

— Naturellement, répondit-elle, un peu surprise. J'ai pris des leçons en pension !

— Il ne suffit pas de prendre des leçons pour
faire une danseuse ! déclarai-je.

Nous regagnâmes notre table.

Megan était enchantée de sa soirée. Moi aussi.
Le temps passait. Je ne m'en apercevais pas. J'étais
complètement fou.

C'est Megan qui me ramena sur terre en disant
soudain, d'un air pensif :

— Est-ce qu'il ne serait pas temps de rentrer?

Ce fut pour moi comme un coup de massue !
Depuis quelques heures, je vivais dans un monde

irréel en compagnie de la créature que j'avais créée. J'étais fou.

— Grands dieux ! m'écriai-je.

Je consultai ma montre. Le dernier train était parti.

— Ne bougez pas ! dis-je. Je vais téléphoner.

J'appelai le siège d'une compagnie de voitures de remise et demandai qu'on m'envoyât l'automobile la plus puissante et la plus rapide. Puis je revins auprès de Megan.

— Le dernier train est parti, lui dis-je. Nous rentrerons en auto !

— Vraiment ! C'est épatant !

Je la trouvais délicieuse. Tout lui faisait plaisir. Elle se réjouissait de tout et tout ce que je lui proposais lui plaisait.

L'auto qui nous ramena à Lymstock dévorait la route, mais il était terriblement tard quand nous approchâmes de la ville.

— J'ai bien peur, dis-je, pris de remords tardifs, qu'on se soit alarmé de votre absence et qu'on ait organisé des expéditions pour vous rechercher !

— Je ne pense pas, répondit Megan avec calme. Il m'arrive souvent de sortir et de ne pas rentrer pour le déjeuner.

— D'accord ! Mais aujourd'hui, vous avez également manqué le thé et le dîner.

Megan, il faut le croire, était dans un jour de chance. La maison était silencieuse quand la voiture s'arrêta devant la grille. Sur le conseil de Megan, nous passâmes par-derrière. Quelques graviers jetés contre les carreaux de sa chambre amenèrent à la fenêtre Rose qui, tout émue et la main sur le cœur, descendit nous ouvrir la porte.

— Eh bien, vrai ! s'écria-t-elle. Moi qui ai dit que Mademoiselle était couchée dans son lit et endormie ! Monsieur et miss Holland ont dîné très tôt et sont allés faire une promenade en auto. J'ai dit que je m'occuperais des enfants et que je les coucherais ! Je croyais que vous étiez rentrée. J'avais cru vous entendre tandis que j'étais dans sa chambre en train d'essayer de calmer Colin qui ne voulait pas s'endormir. Comme je ne vous avais pas vue en redescendant, j'ai pensé que vous étiez montée à votre chambre et c'est pour cela que lorsqu'il est rentré, j'ai dit à Monsieur, quand il vous a demandée, que vous étiez allée vous coucher !

Je mis fin à ce déluge d'explications en faisant remarquer que c'était en effet ce que Megan avait de mieux à faire maintenant.

— Bonne nuit ! me dit-elle. Et merci « pour de vrai » ! J'ai eu aujourd'hui la plus belle journée de ma vie !

J'arrivai à la maison encore un peu étourdi et je donnai au chauffeur un large pourboire, lui offrant un lit s'il voulait en profiter. Il préféra rentrer dans la nuit et je le laissai partir.

Tandis que nous parlions, la porte s'était entrouverte. Joanna était dans le vestibule.

— Enfin, te voilà !

— Tu étais inquiète ?

Je fermai la porte et suivis Joanna dans le salon, où elle m'avait attendu en buvant du café. Je me servis un whisky-soda, tandis qu'elle remplissait de nouveau sa tasse.

— Inquiète pour toi ? reprit-elle, répondant enfin à ma question. Tu ne voudrais pas. Je pensais que tu avais décidé de rester à Londres et de faire une petite noce...

— C'est un peu ce que j'ai fait.

Joanna, me voyant rire, me demanda ce qui

m'amusait. Je lui racontai ma journée, sans rien omettre.

— Mais, Jerry, dit-elle, lorsque j'eus fini, tu devais être fou !

— C'est bien ce qu'il me semble.

— Ces choses-là ne se font pas, mon brave garçon ! Surtout dans un pays comme celui-ci ! Demain, tout Lymstock ne parlera que de ton aventure !

— C'est possible. Mais ne perdons pas de vue que Megan, après tout, n'est qu'une enfant !

— Une enfant de vingt ans ! Emmener à Londres une jeune personne de cet âge-là et l'habiller de pied en cap, enfant ou pas, ça va faire un scandale terrible ! Et j'ai bien peur, mon petit Jerry, que vous ne soyez obligé d'épouser cette Megan qui n'est qu'une enfant !

Elle riait, mais, au fond elle parlait sérieusement.

Et c'est à ce moment que je fis une très importante découverte, qui m'amena à dire :

— Eh bien ! s'il faut l'épouser, je l'épouserai !... Je crois bien que ça me plairait !

Je remarquai sur le visage de Joanna une expression bizarre. Elle se leva et, se mettant en route vers la porte, dit d'un ton un peu sec :

— Si tu crois que je ne sais pas ça depuis un bout de temps !

Elle sortit et je restai seul, mon verre à la main, encore abasourdi de ma toute récente découverte.

CHAPITRE XII

I

Je ne sais ce que sont les réactions ordinaires de l'homme qui va faire une demande en mariage. Dans les romans, il a la gorge sèche, son col le serre, il est dans un état de nervosité lamentable.

Je n'éprouvais rien de tout cela. J'avais eu une idée qui maintenant me paraissait excellente. C'était une affaire à arranger aussitôt que possible et il n'y avait pas là de quoi s'émouvoir.

Vers onze heures, donc, je sonnais chez Symmington. Rose vint m'ouvrir et je demandai à voir miss Megan. La cuisinière me regarda d'un air significatif qui m'emplit de confusion et me fit entrer dans un petit salon, où j'attendis.

J'étais un peu inquiet. Peut-être Megan avait-elle été vertement tancée...

Je fus rassuré dès son entrée dans la pièce. Elle n'avait pas l'air de quelqu'un qu'on a grondé. Elle avait remis ses vieux vêtements, mais ils semblaient avoir quelque chose de changé, sans doute parce que Megan, maintenant, n'était plus la même. Elle se tenait autrement, comme quelqu'un qui a conscience de sa valeur et de sa beauté. Je m'en rendis compte tout d'un coup, elle était devenue une grande jeune fille.

Je devais être un peu nerveux. Ce qui me le donne à croire, c'est que je la saluai d'un : « Bonjour, vilain masque ! » qui, malgré sa cordialité, n'était pas tout à fait de circonstance. Un amoureux aurait pu trouver autre chose.

Megan ne se formalisa pas et me répondit gentiment.

— J'espère, dis-je, que l'équipée d'hier ne vous a pas valu d'ennuis ?

— Pas le moindre ! fit-elle avec assurance.

Elle cligna de l'œil et poursuivit :

— En réalité, j'en ai entendu pas mal quand même ! On m'a dit que cette absence était louche, etc., etc. Mais tout ça n'a pas d'importance ! Vous savez comment sont les gens ! Il ne leur faut pas grand-chose pour faire des histoires !

Je me félicitai de la philosophie de Megan et j'en vins à l'objet de ma visite.

— Megan, dis-je, je suis venu vous voir ce matin parce que j'ai une proposition à vous faire. Vous savez que j'ai beaucoup d'affection pour vous. Je crois que, de votre côté, vous m'aimez un peu...

— Dites « énormément » corrigea-t-elle, avec un enthousiasme un peu inquiétant.

— Bref, poursuivis-je, nous nous entendons très bien. Ce qui fait que j'ai pensé que ce serait une bonne chose que nous nous mariions !

— Oh !

Elle n'en dit pas plus. Dans cette exclamation, il y avait de la surprise, mais rien d'autre. Elle n'était pas stupéfaite. Pas choquée, non plus. Surprise, simplement.

— Vous venez bien de dire que vous voudriez m'épouser? demanda-t-elle au bout d'un instant, comme quelqu'un qui n'est pas sûr d'avoir bien compris.

— Oui. C'est mon unique ambition et mon désir le plus cher !

— Alors, vous seriez amoureux de moi?

— Oui, Megan, je vous aime !

Elle me regarda longuement, d'un air grave.

— Je crois, dit-elle enfin, que vous êtes l'homme le plus gentil qu'il y ait sur la terre... Mais je ne vous aime pas !

— Je vous forcerai bien à m'aimer !

— Non ! Je n'aime pas qu'on me force !

Puis, après une courte pause, elle ajouta :

— Je ne suis pas la femme qu'il vous faut. Je sais haïr, mais je ne sais pas aimer !

Je protestai :

— La haine passe. L'amour, lui, l'amour ne meurt pas !

— C'est vrai, ça?

— C'est ce que je crois !

Il y eut un silence.

— Alors, dis-je, c'est *non*?

— C'est *non* !

— Sans espoir?

— A quoi bon?

— Vous avez raison, fis-je. Inutile de m'encourager ! Que vous le fassiez ou non, j'espérerai quand même !

II

Je repris le chemin de « Little Furze » dans l'état d'esprit qu'on peut deviner, un peu irrité en outre

de sentir dans mon dos le regard de Rose qui me
suivait.

Elle m'avait assourdi de paroles avant de me
laisser partir.

Elle m'avait expliqué — et longuement! —
qu'elle n'était plus la même depuis la mort tragique de Mrs. Symmington; qu'elle ne serait pas
restée, si ce n'avait été pour les enfants et pour le
pauvre Mrs. Symmington, qu'elle plaignait beaucoup; que, d'ailleurs, elle s'en irait tout de même
si on ne lui donnait pas quelqu'un pour la seconder,
ce qui ne serait pas facile, les gens ne tenant pas à
venir travailler dans une maison où il y avait eu un
crime; que miss Holland, évidemment, s'occupait de
bien des choses, mais qu'on se rendait bien
compte qu'un de ces quatre matins elle serait « chez
elle » dans cette maison et que toute sa gentillesse
ne changeait rien à la question; que le pauvre
Mr. Symmington, bien entendu, ne s'apercevait de
rien, mais que, comme tous les veufs, c'était une
créature sans défense qui finirait par être victime
d'une intrigante et qu'en tout cas, si miss Holland
ne prenait pas la place de la maîtresse disparue, ce
ne serait pas faute d'avoir essayé!

Approuvant mécaniquement du chef, je dus su-
bir ce long discours avec patience. J'aurais voulu
me sauver, mais Rose tenait mon chapeau entre ses
mains. Il me fallait bien attendre qu'elle voulût
me le restituer!

Je me demandais maintenant s'il y avait du vrai
dans ce qu'elle m'avait raconté. Elsie Holland envi-
sageait-elle la possibilité de devenir la seconde
Mrs. Symmington ou n'était-elle qu'une brave fille
qui faisait de son mieux pour tenir la maison d'un
homme seul?

Qu'il y eût, de sa part, calcul ou non, le résultat

pouvait certes être en définitive identique. Après tout, pourquoi n'aurait-elle pas épousé Symmington? Les enfants avaient besoin d'une maman et Elsie était une femme très bien. Et aussi une très jolie fille, ce qu'un homme apprécie toujours, même quand il est aussi gourmé que pouvait l'être Symmington.

Si toutes ces questions retenaient mon attention, c'était évidemment parce que j'essayais de ne pas penser à Megan.

Vous me direz sans doute que je m'étais montré ridiculement sûr de moi en allant demander à Megan de m'épouser et que je n'avais eu que ce que je méritais, mais ce n'était pas tout à fait ça. La vérité, c'est que j'étais tellement certain que je devais veiller sur Megan, tellement convaincu que c'était à moi qu'il incombait de la rendre heureuse, tellement persuadé aussi que je ne pouvais vivre sans elle, qu'il me semblait tout naturel qu'elle éprouvât de son côté des sentiments analogues aux miens.

Mais je n'abandonnais pas la partie. Ah! mais non! Megan était la femme qui m'était destinée, et je l'aurais!

Après quelques instants de réflexion, je m'en allai au bureau de Symmington. Que Megan fût indifférente aux critiques qu'on pouvait faire de sa conduite, ça la regardait! Pour moi, j'entendais mettre les choses bien au point.

On me dit que Mr. Symmington était visible et l'on m'introduisit directement dans son cabinet. Au pincement de ses lèvres et à la rigidité, plus marquée que jamais, de ses manières, je compris que ma présence ne lui faisait pas particulièrement plaisir.

— Ma visite, lui dis-je, les bonjours échangés,

n'est pas d'ordre professionnel, mais d'ordre privé. Je n'irai pas par quatre chemins. J'imagine que vous vous êtes rendu compte que je suis amoureux de Megan. Je viens de lui demander de m'épouser. Elle a refusé, mais je ne tiens pas sa décision pour définitive.

Le visage de Symmington changea d'expression. Je lisais sur sa physionomie avec une facilité dérisoire. Megan était, chez lui, un élément qui troublait l'harmonie de l'ensemble. L'homme, j'en étais sûr, était juste et bon, et l'idée ne lui serait pas venue de ne point assurer un toit à la fille de sa défunte épouse. Mais le mariage de Megan l'eût soulagé d'un poids.

— Franchement, me dit-il avec un sourire aimable, je ne m'attendais pas à ça ! Je sais que vous avez prêté beaucoup d'attention à Megan, mais, pour nous, elle est toujours une enfant !

Je protestai.

— Megan n'est plus une enfant !

— Par l'âge, non. Mais...

— Elle aura son âge quand on lui permettra de l'avoir ! lançai-je avec humeur. Je sais qu'elle n'a pas vingt et un ans, mais il ne s'en faut que d'un mois ou deux. En ce qui me concerne, moi, je vous ferai tenir tous les renseignements que vous pouvez désirer. Je suis à mon aise et j'ai toujours mené la vie d'un honnête homme. Je suis sûr de rendre Megan heureuse.

— Je n'en doute pas. Mais... c'est à elle de décider !

— Je ne suis pas inquiet là-dessus, dis-je. Il n'y a qu'à attendre. Seulement, je tenais à vous bien préciser mes intentions.

Il me dit qu'il m'en savait gré et nous nous séparâmes dans les termes les plus cordiaux.

III

Dehors, je rencontrai miss Emily Barton. Elle avait au bras le panier qu'elle prenait quand elle allait faire son marché.

— Bonjour, monsieur Burton! On m'a dit que vous étiez allé à Londres, hier?

Je lui répondis que le fait était exact. J'eus l'impression qu'il y avait dans ses yeux beaucoup de sympathie, mais aussi beaucoup de curiosité.

— Je suis allé voir mon médecin, ajoutai-je.

Elle sourit. D'un sourire qui faisait bien peu de cas de Marcus Kent.

— Il paraît, reprit-elle, que Megan a presque manqué le train et qu'elle a dû l'attraper au vol.

— Avec mon assistance, ajoutai-je. Je l'ai hissée dans le compartiment.

— Une chance que vous ayez été là! Sans vous, c'était peut-être un accident!

On n'imagine pas combien un homme peut se sentir gêné en présence d'une vieille fille, gentille, mais curieuse. L'arrivée de Mrs. Dane Calthrop me sauva. Elle traînait miss Marple en remorque et sa langue ne demandait qu'à marcher.

— Bonjour! me dit-elle. Il paraît que vous avez décidé Megan à s'acheter enfin quelques vêtements corrects? On ne saurait trop vous en féliciter. Il n'y a qu'un homme pour avoir des idées si pratiques! Cette petite m'aura causé bien du tracas. Les filles intelligentes deviennent si facilement idiotes, n'est-ce pas?

Sur cette étonnante remarque, Mrs. Dane Calthrop se précipita dans la poissonnerie. Miss Marple, qui ne l'avait pas suivie, sourit des yeux et dit :

— Mrs. Dane Calthrop est une femme extraordinaire, vous savez? Elle ne se trompe presque jamais.

— C'est bien pour cela qu'elle est un peu inquiétante, déclarai-je.

— La sincérité est toujours inquiétante, dit miss Marple.

Mrs. Dane Calthrop sortait en trombe de la poissonnerie. Elle revint à nous. Elle avait acheté une magnifique langouste.

— Avez-vous jamais, nous demanda-t-elle, rien vu qui ressemblât moins à Mr. Pye?

IV

J'étais un peu nerveux à l'idée de me retrouver en présence de Joanna, mais je découvris, dès mon retour à la maison, que je m'étais tracassé bien à tort : Joanna n'était pas là et elle ne rentra pas pour déjeuner. La chose contrariait Mary, qui, tout en me présentant les côtelettes de mouton qu'elle avait préparées, me fit remarquer avec aigreur que « miss Burton avait pourtant bien dit qu'elle serait là pour le déjeuner ».

Je mangeai les deux côtelettes, dans l'espoir de faire pardonner son absence à Joanna, mais je n'en continuai pas moins à me demander où elle pouvait être. Ses actes, depuis quelque temps, s'entouraient de bien de mystère.

Il était trois heures et demie quand Joanna pénétra en coup de vent dans le salon. J'avais entendu

une voiture s'arrêter devant la maison et je m'étais
presque attendu à voir Griffith, mais l'auto était
repartie et Joanna était seule.

Elle était très rouge et paraissait bouleversée. Il
avait dû se passer quelque chose.

— Qu'y a-t-il? lui demandai-je.

Elle ouvrit la bouche, la referma sans avoir rien
dit, poussa un soupir, puis s'écroula dans un fauteuil, en regardant fixement droit devant elle. Je
répétai ma question. Cette fois, elle répondit

— Il y a que j'ai eu une journée terrible !

— Que t'est-il arrivé?

— J'ai fait des choses incroyables. C'est effrayant !

— Explique-toi !

— J'étais allée me promener, sans but défini. J'ai
gravi la colline, puis j'ai fait quelques milles dans
la lande, avant de descendre dans un vallon, au
fond duquel il y a une ferme, absolument perdue.
J'avais soif. Je me suis dit que je pourrais peut-
être trouver là un peu de lait, ou n'importe quoi à
boire, je suis entrée dans la cour de la ferme et,
juste à ce moment-là, une porte s'est ouverte et
j'ai vu sortir Owen.

— Non?

— Il croyait que c'était l'infirmière qui arrivait.
Il y avait, à la ferme, une femme sur le point d'ac-
coucher. Il attendait l'infirmière, à qui il avait fait
dire de lui amener un autre médecin, pour le cas
où les choses iraient mal.

— Et alors?

— Alors, il m'a dit, *à moi* : « Venez ! Vous m'ai-
derez ! Ce sera toujours mieux que personne ! » Je
lui ai répondu que je ne pouvais pas et il m'a
demandé ce que je voulais dire. Je lui ai dit que
je n'avais jamais fait ça, que je ne connaissais rien
à tout ça, etc. Il m'a dit que ça n'avait aucune im-

portance et il s'est mis à être *odieux*! Il m'a dit :
« Vous êtes une femme, n'est-ce pas ? Alors, je ne
vois pas comment vous refuseriez de faire tout
votre possible pour venir en aide à une autre
femme? » Et il a continué, en me disant que je lui
avais raconté que la médecine m'intéressait, que
j'aurais voulu être infirmière... et que, vraisemblablement, tout ça, c'était du boniment! « Vous
disiez ça, mais uniquement pour parler ! Seulement,
aujourd'hui, nous sommes en pleine réalité et vous
allez vous conduire comme un être humain authen-
tique, et non pas comme une pécore, aussi inutile
qu'agréable à regarder ! » Là-dessus, Jerry, j'ai fait
des choses inimaginables. J'ai tenu les instruments,
je les ai fait bouillir, je les lui ai passés... et je suis
si fatiguée que je ne tiens plus debout ! La besogne
a été effrayante. Mais il a sauvé la mère... et l'enfant aussi. Il était né vivant, mais, au début, Owen
croyait bien qu'il ne le sauverait pas. Mon Dieu !

Joanna s'était couvert le visage de ses mains. Je
la regardai avec une certaine satisfaction et, men-
talement, je tirai mon chapeau à Owen Griffith. Il
avait obligé Joanna à affronter, pour une fois, les
réalités de l'existence.

— Il y a une lettre pour toi dans le vestibule,
dis-je. De Paul, je crois.

— Ah?

Après un long silence, elle ajouta :

— Je n'avais pas la moindre idée, Jerry, de ce
que les médecins pouvaient avoir à faire. Le sang-
froid qu'il leur faut !

J'allai chercher la lettre de Joanna et la lui
apportai. Elle l'ouvrit, jeta un vague coup d'œil
sur son contenu, puis la laissa tomber par terre.

— Il était vraiment... magnifique ! reprit-elle, il
luttait, de toutes ses forces, et on sentait qu'il ne

voulait pas être battu, qu'il n'admettrait pas d'être battu ! Avec moi, il a été brutal, odieux... mais il était *magnifique* !

Je ne répondis pas. La lettre de Paul était toujours sur le plancher. Je la contemplais avec un certain plaisir. Aucun doute, Joanna était guérie de Paul.

CHAPITRE XIII

I

Les choses n'arrivent jamais telles qu'on les attend.

Je ne pensais qu'aux affaires de Joanna et aux miennes. Aussi fut-ce avec surprise que, le lendemain, j'entendis au téléphone la voix de Nash, qui m'apportait une nouvelle d'importance :

— *Nous la tenons*, monsieur Burton !

Mon saisissement fut tel que je faillis lâcher le récepteur.

— Voulez-vous dire que...

Nash me coupa la parole.

— Etes-vous sûr qu'on n'est pas en train d'écouter ce que vous dites ?

— Je ne crois pas... Pourtant...

Il me semblait avoir vu bouger la porte de la cuisine. Nash reprit :

— Est-ce que ça vous ennuierait de venir jusqu'au commissariat?

— Nullement. J'arrive.

Quelques instants plus tard, j'étais dans le bureau de Nash, avec le sergent Parkins. Nash rayonnait.

— La chasse a été longue, me dit-il, mais nous ne sommes pas loin de la fin.

Il me tendait une lettre par-dessus la table. Elle était entièrement dactylographiée et le texte, par comparaison à d'autres, était assez bénin :

Inutile de vous figurer que vous allez prendre la place de la morte. La ville entière se moque de vous. Filez sans attendre ! Bientôt, il sera trop tard. Ceci est un avertissement. Souvenez-vous de ce qui est arrivé à l'autre fille ! Allez-vous-en et ne revenez pas !

Suivaient quelques injures passablement obscènes.

— Ce poulet, reprit Nash, est parvenu à miss Holland, ce matin.

— Je trouvais drôle qu'elle n'ait encore rien reçu ! dit le sergent Parkins.

— Qui l'a écrit ? demandai-je.

La joie disparut du visage de Nash.

— J'en suis désolé, me répondit-il, parce que le coup va être dur pour un brave homme, mais je n'y peux rien. Peut-être, d'ailleurs, se doute-t-il déjà de quelque chose...

— Qui a écrit cette lettre ? répétai-je.

— Miss Aimée Griffith.

II

Nash et Parkins porteurs d'un mandat, se rendirent chez les Griffith dans l'après-midi. Nash m'avait prié de les accompagner.

— Le docteur, m'avait-il dit, vous aime beaucoup et il n'a pas tellement d'amis par ici. Je crois, monsieur Burton, que, si la chose ne vous est pas à vous trop pénible, votre présence l'aidera à encaisser le coup !

Convaincu qu'il ne se trompait pas, j'avais décidé d'aller avec eux.

Nous sonnâmes à la porte et Nash demanda à voir miss Griffith. On nous fit entrer dans le salon, où Elsie Holland, Megan et Symmington prenaient le thé avec Aimée.

Nash manœuvra avec infiniment de tact. Il pria Aimée de bien vouloir lui accorder quelques mots en particulier. Elle se leva et vint à nous. Une seconde, j'eus l'impression qu'il y avait de la crainte dans ses yeux, mais elle se ressaisit vite et ce fut d'un ton parfaitement naturel que, tout en nous conduisant vers un petit bureau qui se trouvait de l'autre côté du couloir, elle dit :

— J'espère que ce n'est pas encore à cause de mes feux de position que vous me rendez visite?

Nash dit ce qu'il avait à dire avec beaucoup de calme et de correction. Il donna à Aimée les avertissements imposés par la loi, lui dit qu'il était obligé de lui demander de l'accompagner, précisant qu'il avait contre elle un mandat d'arrêt dont il lui fit lecture. J'ai oublié quels étaient les termes exacts. Je me souviens seulement qu'il y était question des lettres, et non point encore du meurtre.

Aimée rejeta la tête en arrière et éclata de rire.

— Quelle niaiserie ! Comme si j'étais capable d'écrire de pareilles ordures ! Il faut que vous ayez perdu la raison. Jamais je n'ai écrit un seul mot de ce genre-là !

Nash tira de sa poche la lettre reçue par Elsie Holland.

— Vous niez d'avoir écrit ceci, miss Griffith?

Si elle hésita, ce ne fut qu'un dixième de seconde.

— Certainement, je le nie ! Je n'ai jamais vu cette lettre auparavant.

— Je me vois contraint de vous dire, miss Griffith, répliqua Nash sans se démonter, qu'on vous a vue taper cette lettre sur la machine du Women's Institute, avant-hier soir, entre onze heures et onze heures et demie. Hier, un gros paquet de lettres à la main, vous êtes entrée au bureau de poste...

— Je n'ai jamais mis cette lettre à la boîte !

— *Je n'en disconviens pas.* Tandis que vous étiez devant le guichet des timbres, vous vous êtes arrangée pour la laisser tomber par terre, sans en avoir l'air, pour qu'elle fût ramassée par quelqu'un et mise à la poste par ce quelqu'un, qui évidemment ne se doutait de rien.

— Je n'ai jamais...

La porte de la petite pièce s'ouvrit devant Symmington.

— Que se passe-t-il ? demanda-t-il d'un ton bref. Aimée, si quelque chose ne va pas, n'oubliez pas que vous avez droit à un conseil ! Si vous voulez que je...

Il n'alla pas plus loin : Aimée s'effondrait. Les deux mains sur le visage, elle s'écroulait dans un fauteuil, disant :

— Allez-vous-en ! Pas vous ! Pas *vous* !

— Il vous faut un avocat !

— Pas vous !... Je ne pourrais pas... le supporter ! Je ne veux pas que vous sachiez... tout cela !

Comprenant sans doute, il dit, très calme :

— Alors, je vais faire signe à Midmay, d'Exhampton. Vous voulez bien ?

Elle répondit oui de la tête. Elle sanglotait.

Symmington quitta la pièce. Sur le seuil, il se heurta à Owen Griffith, qui, véhémentement, interpellait le policier.

— De quoi s'agit-il?... Ma sœur...

Nash l'interrompit.

— Je suis navré, docteur, absolument navré, mais je n'ai pas le choix.

— Vous croyez que c'est elle qui... a écrit ces lettres?

— J'ai bien peur, docteur, qu'il n'y ait là-dessus aucun doute.

Tourné vers Aimée, Nash ajouta :

— Maintenant, miss Griffith, voudriez-vous nous accompagner? I' va de soi que vous aurez toutes facilités pour vous entretenir avec votre conseil.

Elle se leva, passa devant son frère sans le regarder, disant seulement :

— Ne me parle pas, Owen! Ne dis rien! Et, pour l'amour de Dieu, *ne me regarde pas!*

Aimée sortit avec les policiers. Owen n'avait pas fait un mouvement. Il était comme pétrifié. Je laissai passer quelques secondes, puis j'allai à lui.

— Si je puis faire quoi que ce soit, Griffith, dites-le-moi!

Il ne bougeait pas.

— Aimée !... Je ne peux pas croire ça!

Je lui dis, sans grande conviction, que la police pouvait se tromper. Il secoua la tête.

— Si c'était une erreur, elle réagirait autrement! Mais je n'aurais jamais cru ça d'elle... et maintenant encore, *je ne puis pas le croire!*

Il se laissa tomber dans un fauteuil. Je me rendis utile en allant lui chercher un peu de cognac, que je lui apportai. Il l'avala d'un trait et j'eus l'impression que l'alcool lui faisait du bien.

— Sur le moment, dit-il, je n'ai pas tenu le choc, mais maintenant, ça va mieux. Je vous remercie, Burton, mais vous ne pouvez rien faire. *Personne* ne peut rien !

J'allai protester. Joanna entrait. Elle était très pâle. Elle alla près d'Owen, me regarda et dit :

— Va-t'en, Jerry ! Je m'occuperai de lui.

Quand je fermai la porte, je vis Joanna s'agenouiller près du fauteuil de Griffith.

III

Je ne saurais donner une relation cohérente des événements qui se déroulèrent dans les vingt-quatre heures qui suivirent. Des incidents divers, sans lien apparent entre eux.

Je me souviens surtout du retour de Joanna à la maison. Elle était très pâle, très fatiguée. J'essayai de la réconforter par une plaisanterie.

— Alors, comment va l'ange gardien?

Elle eut un triste sourire.

— *Il* ne veut pas de moi, Jerry ! Il est *terriblement fier !* Et inflexible, avec ça !

Je me forçai à sourire.

— Bah ! Celle que j'aime ne veut pas de moi non plus !

Nous restâmes longtemps, assis l'un près de l'autre, à échanger de pauvres confidences.

— En somme, conclut Joanna, la famille Burton est pour le moment très peu demandée.

— Incontestable ! répondis-je. Mais qu'est-ce que ça fait? Je t'ai et tu m'as ! C'est quelque chose, ça !

— Oui, dit Joanna. Seulement, je ne peux pas dire que, pour l'instant, ce soit pour moi une grande consolation !

IV

Owen vint le lendemain et entreprit de me faire en termes lyriques l'éloge de Joanna. C'était une fille admirable, une créature merveilleuse ! Elle était allée à lui et elle lui avait dit qu'elle était toute prête à l'épouser. Tout de suite, s'il voulait ! Mais c'était un sacrifice qu'il n'accepterait pas. Elle était trop bonne, trop pure, pour qu'il consentît. Il ne voulait point qu'elle fût éclaboussée par la boue que les journaux ne manqueraient pas de remuer quand la nouvelle leur serait connue.

J'aimais bien Joanna et je savais qu'elle était de celles qui ne vous lâchent pas dans les coups durs, mais ce chevaleresque discours m'exaspérait plutôt. Avec un peu d'humeur, je conseillai à Owen de ne pas faire tant de cas de ses nobles scrupules.

J'allai faire un tour dans High Street. Les langues n'avaient jamais fonctionné avec tant d'entrain. Emily Barton déclarait qu'elle s'était toujours plus ou moins méfiée d'Aimée Griffith. La femme de l'épicier se flattait d'avoir observé avant tout le monde que miss Griffith avait quelque chose d'étrange dans le regard...

Nash m'apprit que les charges contre Aimée se précisaient. Une perquisition avait amené au jour le livre d'Emily Barton auquel des pages avaient été enlevées. On l'avait découvert dans un placard, sous l'escalier, enveloppé dans un vieux rouleau de papier à tapisser.

— Une bonne cachette ! ajouta Nash en connaisseur. On ne peut jamais assurer qu'un domestique un peu curieux n'ira pas ouvrir le tiroir d'un bureau ou d'une commode, mais ces débarras, où l'on entasse les balles de tennis hors d'usage et les vieux papiers peints, on ne les ouvre jamais que pour fourrer quelque chose dedans !

— Il semble, dis-je, que la dame avait une prédilection pour ce genre de cachette.

— Oui. Le criminel manque toujours d'imagination. A propos, puisque nous parlons de la petite qui a été tuée, nous avons du nouveau de ce côté-là. Nous avons découvert qu'un gros pilon, très lourd, a disparu du laboratoire du toubib. Je vous parie tout ce que vous voulez que c'est avec ça qu'on l'a assommée !

Je fis observer à Nash que c'était un objet assez malaisé à transporter.

— Pas pour miss Griffith ! me répliqua-t-il. Cet après-midi-là, elle allait chez les Guides, mais elle devait, en chemin, s'arrêter à la Croix-Rouge pour y déposer des fleurs et des légumes. Elle avait donc un énorme panier.

— Vous avez trouvé la broche ?

— Non, et nous ne la trouverons pas. La pauvre femme est vraisemblablement folle, mais pas au point de conserver une broche tachée de sang, à seule fin de nous faciliter la besogne, alors qu'elle n'avait qu'à la laver et à la remettre dans le tiroir de la cuisine !

— Evidemment, dis-je, on ne peut pas tout avoir !

Le presbytère avait été un des derniers endroits à apprendre la nouvelle. La vieille miss Marple, consternée, n'admettait pas qu'elle pût être vraie.

— Non, monsieur Burton ! C'est *impossible* ! J'en suis absolument sûre. Impossible.

— Impossible, soit, mais vrai pourtant, j'en ai peur. Il s'agissait d'un piège, vous savez, et on a effectivement vu Aimée taper la lettre !

— Ça se peut ! Bien sûr *cela*, c'est possible !

— Et on a trouvé chez elle les pages dans lesquelles ont été découpés les mots qui composaient les autres lettres...

Miss Marple me dévisagea avec stupeur. Puis, à voix très basse, elle dit :

— Mais c'est horrible, ça !... C'est vraiment *très vilain* !

Mrs Dane Calthrop survenait.

— Que se passe-t-il, Jane? demanda-t-elle.

— Mon Dieu ! Mon Dieu ! *Qu'est-ce qu'on peut faire?*

Mrs. Dane Calthrop répéta sa question, mais miss Marple ne l'entendait pas. Elle suivait sa pensée.

— Il y a certainement *quelque chose* à faire ! Mais quoi? Je suis si vieille, si ignorante... et, je le crains, si sotte !

Je ne savais que dire et ce ne fut pas sans soulagement que je vis Mrs. Calthrop entraîner sa vieille amie.

Je devais revoir miss Marple dans l'après-midi, beaucoup plus tard, alors que je rentrais chez moi. Elle était debout sur le petit pont, au bout du village, près de la villa de Mrs. Cleat et c'était avec Megan qu'elle bavardait.

Toute la journée, j'avais eu envie de voir Megan. Je pressai le pas. Mais quand j'arrivai à leur hauteur, Megan tourna les talons et s'éloigna. Assez mécontent, voire furieux, j'allai la suivre, mais miss Marple me barra le passage.

— Laissez-moi vous dire un mot, monsieur Burton !... Ne vous lancez pas à la poursuite de Megan maintenant ! Ce ne serait pas sage.

J'allai répliquer de verte façon, mais la vieille demoiselle me désarma en ajoutant :

— Cette petite est courageuse... Très courageuse... et d'un courage très particulier. N'allez pas lui parler maintenant ! Je sais ce que je dis. Laissez-lui son courage.

Je n'insistai pas. J'avais le sentiment que miss Marple savait quelque chose que j'ignorais. Je me sentais inquiet, sans savoir pourquoi.

Je ne rentrai pas à la maison. Faisant demi-tour, je retournai dans High Street, où je marchai longuement sans but, tantôt dans un sens, tantôt dans l'autre. Je ne saurais dire ce que j'attendais ni à quoi je pensais.

Je fus harponné par ce vieux crampon de colonel Appleton, qui, après m'avoir, comme toujours, demandé des nouvelles de ma sœur, poursuivit :

— Qu'est-ce qu'on m'a raconté au sujet de la sœur de Griffith ? Elle aurait complètement perdu la boussole ? Il paraît que ce serait elle qui aurait écrit toutes ces satanées lettres anonymes qui nous ont empoisonné l'existence, ces temps-ci ? Je ne voulais pas le croire, quand on me l'a dit, mais on m'affirme que c'est vrai !

Je le lui confirmai.

— Eh bien ! reprit-il, il faut bien admettre que notre police est tout de même assez forte ! Il suffit qu'on lui donne du temps. Drôles d'affaires, ces histoires de lettres anonymes ! Les coupables sont toujours des vieilles filles desséchées et aigries. Cette Aimée Griffith, pourtant, n'est pas tellement vilaine, encore qu'elle ait la langue trop bien

pendue... Notez, d'ailleurs, que dans ce coin dés-
hérité du monde, il n'y a pas de jolies filles, exception faite de cette gouvernante qui est chez les
Symmington. Elle vaut le coup d'œil. Agréable,
avec cela. Sensible à toutes les attentions qu'on a
pour elle. Je l'ai rencontrée, l'autre jour, avec les
petits. Ils avaient goûté sur l'herbe et elle les sur-
veillait, tandis qu'ils jouaient. Elle avait son tricot à côté d'elle... et elle était passablement vexée,
parce qu'il ne lui restait plus de laine. « Si vous
« voulez lui ai-je dit, je vous conduis jusqu'à
« Lymstock, où il faut justement que j'aille cher-
« cher une canne à pêche ! Je vous ramène en-
« suite. » Elle hésitait à abandonner les gosses.
« Qu'est-ce qu'ils risquent ? » lui ai-je dit. Je
n'allais, bien sûr, pas les emmener en voiture. Je ne
suis pas fou ! Bref, finalement, je l'ai conduite
là-bas, je l'ai déposée à la mercerie, j'ai fait ma
course et je l'ai reprise en revenant. Elle m'a
remercié très gentiment. Une chic fille, vraiment !

Je réussis à laisser tomber le bonhomme.

C'est après cela que, pour la troisième fois de
la journée, j'aperçus miss Marple : elle sortait du
commissariat de police.

V

D'où viennent nos peurs ? Où prennent-elles
forme ? Où se cachent-elles avant de se révéler
à nous ?

Une simple petite phrase. On l'entend, on l'enre-
gistre et on ne l'oubliera jamais tout à fait.

« Emmenez-moi !... C'est si terrible d'être ici...
et de se sentir si méchante ! »

Pourquoi Megan avait-elle dit cela? Pourquoi avait-elle le sentiment d'être méchante?

Rien dans la mort de Mrs. Symmington ne pouvait le lui donner.

Alors, pourquoi?

Se tenait-elle pour responsable de cette mort, d'une façon ou d'une autre?

Megan? Impossible. *Megan* ne pouvait pas avoir écrit ces lettres abominables, pleines d'obscénités et de mots orduriers.

Owen Griffith, pourtant, avait connu, dans le nord, un cas analogue. Une petite fille qui allait en classe...

Qu'avait donc dit l'inspecteur Graves?

Quelque chose à propos de la *mentalité des adolescents...*

Des fillettes innocentes qui, sur la table d'opération, endormies, balbutiaient des mots horribles qu'elles connaissaient à peine. Des gosses qui dessinaient à la craie des choses sur les murs.

Non, non pas *Megan.*

Une lourde hérédité? Un anormal dans ses ascendants? Une tare, venue de loin, dont elle n'était pas responsable et qui faisait d'elle un être maudit?

« Je ne suis pas une femme pour vous! Je sais mieux haïr qu'aimer. »

Oh! Megan, ma petite Megan! Pas ça! N'importe quoi, mais pas ça! Et qu'est-ce qu'elle raconte donc cette vieille sorcière? Megan est courageuse. Mais *pourquoi* faut-il qu'elle soit courageuse? Pourquoi?

Ces réflexions et bien d'autres, me torturaient. Mais la crise passa...

J'éprouvais cependant le besoin de voir Megan.

Ce soir-là, à neuf heures et demie, je sortis pour me rendre chez les Symmington.

Une idée, toute nouvelle, en effet, m'était venue

à l'esprit. A propos d'une femme à qui nul n'avait songé.

A moins que Nash...

Terriblement improbable, peut-être même impossible? Jusqu'alors, je l'avais cru. Mais ce ne l'était pas. Improbable, peut-être. *Impossible, certainement pas !*

Je pressai le pas. Parce qu'il était urgent que je visse Megan tout de suite !

La grille franchie, je me dirigeai vers la maison. Il faisait très noir et on y voyait mal. Une petite pluie fine commençait à tomber. Une des fenêtres, sur la façade, était éclairée. J'hésitai une seconde, puis, au lieu d'aller vers la porte d'entrée, j'obliquai vers la lumière. Avançant à pas de loup et en me baissant, j'écartai une touffe d'arbustes et m'approchai de la fenêtre. Les rideaux joignaient mal et la vitre supérieure ayant été baissée, l'observatoire était excellent. On voyait et on entendait parfaitement.

J'avais sous les yeux une scène d'intérieur infiniment reposant. Symmington se renversait dans un grand fauteuil. Elsie Holland, la tête penchée sur son ouvrage, réparait une chemise d'enfant.

— Très sincèrement, monsieur Symmington, disait-elle, je crois que les petits sont maintenant d'âge à être mis en pension. J'ajoute que j'en serai personnellement désolée, car vous savez combien je les aime tous les deux !

— Je pense, miss Holland, répondit Symmington que vous avez raison en ce qui concerne Brian. A la rentrée, il entrera à Winhays, le collège où j'ai moi-même commencé mes études. Mais Colin est encore trop petit et, pour lui, j'attendrai encore un an...

— Je vous comprends fort bien...

Une conversation toute simple, toute droite...

La porte s'ouvrit et Megan entra. Avec un air décidé et résolu qui me frappa. Son visage était calme, mais ses yeux brillaient étrangement. On la sentait sûre d'elle-même et elle n'avait certes plus rien d'une enfant.

Elle s'adressa à Symmington et je remarquai qu'elle ne l'appelait ni « père », ni « monsieur », m'avisant d'ailleurs tout de suite qu'elle en usait toujours ainsi, je m'en apercevais maintenant.

— Je désirerais vous parler, dit-elle. A vous seul !

Surpris, assez désagréablement j'imagine. Symmington fronça le sourcil. Megan soutenant son regard sans broncher, il se tourna vers miss Holland :

— Vous voulez bien, Elsie?

Elle était déjà debout, marchant vers la porte. Megan s'écarta pour la laisser passer. Elsie, au moment de sortir, s'immobilisa un court instant pour regarder par-dessus son épaule. Une fois encore, la pureté de ses traits me surprit, comme si je la découvrais. Elle était adorablement belle. Belle comme une statue antique et, quand je la revois maintenant, c'est dans l'attitude qu'elle avait à ce moment-là, la tête tournée à demi, le visage paisible, une main sur le bouton de la porte, l'autre tenant son ouvrage, pressée sur son sein.

Elle sortit et ferma la porte.

Symmington, qui semblait assez nerveux, interrogeait :

— Que se passe-t-il, Megan? Que veux-tu?

Elle était debout en face de lui, près de la table. Je notai de nouveau la froide résolution qui se lisait sur son visage. J'y découvrais en même temps une sorte de dureté que je ne lui connaissais pas.

Elle ouvrit la bouche et ce fut pour dire des mots qui me glacèrent jusqu'à la moelle.

— Je veux de l'argent, dit-elle.

Cette requête n'était pas de nature à mettre Symmington de meilleure humeur.

— Tu ne pouvais pas attendre demain matin pour m'en demander? D'autre part, qu'est-ce que ça signifie? Ton argent ne te suffit pas?

Propos d'un homme sensé, qui ne fait pas de sentiment, mais ne se refuse pas à entendre des paroles raisonnables.

— C'est beaucoup d'argent que je veux, répondit Megan.

Il se redressa dans son fauteuil.

— Dans quelques mois, tu seras majeure. Tes tuteurs te remettront la fortune que t'a laissée ta grand-mère.

— Vous ne m'avez pas comprise, répliqua-t-elle. C'est de *vous* que je veux de l'argent.

Son débit s'accélérant à mesure qu'elle parlait, elle poursuivait :

— On ne m'a jamais beaucoup parlé de mon père, on ne voulait pas me laisser savoir quoi que ce soit de lui, mais je sais parfaitement qu'il a été condamné à de la prison et je sais pourquoi. Il avait fait du chantage...

Après une très courte pause, elle reprit :

— Eh bien, je suis sa fille ! Je tiens de lui, sans doute. En tout cas, je vous demande de l'argent et vous me le donnerez parce que, si vous refusez, *je dirai ce que je vous ai vu faire, un jour, dans la chambre de maman. Il s'agissait d'un cachet.*

Elle se tut. Les derniers mots avaient été articulés très lentement, très posément.

Symmington restait très calme.

— Je ne vois pas ce que tu veux dire, fit-il d'une voix égale.

— Je crois que si ! répliqua-t-elle.

Elle souriait, méchamment.

Symmington se leva, alla à son secrétaire, tira de sa poche un carnet de chèques et remplit un chèque qu'il remit à Megan, après l'avoir tamponné avec le buvard.

— Tu es une grande fille maintenant, dit-il, et je comprends très bien que tu éprouves l'envie de t'acheter des robes et des colifichets. Pour le reste, je ne sais pas de quoi tu veux parler. Aucune importance, d'ailleurs. En tout cas, voici un chèque...

Elle l'examina et dit :

— Merci. Ça ira...

Elle tourna les talons et quitta la pièce, suivie des yeux par Symmington. Comme il se retournait, je fis, surpris par l'expression de son visage, un involontaire mouvement en avant, un mouvement qui fut interrompu de la façon la plus inattendue : sortis de la touffe d'arbustes que j'avais écartée tout à l'heure pour m'installer devant la fenêtre, deux bras vigoureux m'entouraient, cependant que la voix de Nash murmurait à mon oreille quelques mots :

— Du calme, Burton, pour l'amour de Dieu !

Ayant dit, Nash battit en retraite avec d'infinies précautions. Sa main, refermée sur mon coude, m'invitait à suivre.

Quand nous nous retrouvâmes sur la route, il se redressa et s'essuya le front.

— Naturellement, dit-il, *vous deviez* être là !

Je ne répondis pas à sa plaisanterie.

— Cette enfant n'est pas en sûreté, Nash ! Vous

avez vu le visage de Symmington? Nous ne pouvons pas la laisser là !

Le commissaire m'empoigna le bras avec fermeté.

— Maintenant, Burton, *vous allez m'écouter* !

VI

J'écoutai ce qu'il avait à me dire.

Le projet ne me plaisait pas, mais je fus bien obligé d'en passer par où il voulait.

J'exigeai toutefois d'être présent. Ce qui me fut accordé, étant entendu que j'obéirais aux ordres qui me seraient donnés.

Et c'est ainsi qu'avec Nash et Parkins j'entrai dans la maison par la porte de derrière qui était ouverte.

Avec Nash, caché derrière un rideau de velours, j'attendis sur le palier du premier étage. L'horloge du vestibule venait de sonner deux heures quand la porte de Symmington s'ouvrit, livrant passage à Symmington, qui entra dans la chambre de Megan.

Je ne bougeai pas : je savais que le sergent Parkins était caché dans la chambre. Je le connaissais : c'était un homme courageux et qui connaissait son métier.

J'attendis, le cœur battant. Je vis Symmington sortir de la chambre et descendre l'escalier. Il portait Megan dans ses bras. Nash et moi, nous le suivîmes à distance respectueuse.

Symmington entra dans la cuisine. Il venait de l'installer très confortablement, la tête dans le four à gaz, et d'ouvrir le robinet quand nous entrâmes. Nash alluma l'électricité.

Et ce fut la fin de Richard Symmington. Il ne se défendit même pas. Il avait joué et il avait perdu. Il le savait et ne luttait plus.

VII

J'avais tout de suite fermé le robinet du gaz et emporté Megan au premier étage, où je l'avais recouchée dans son lit.

J'étais à son chevet, attendant qu'elle revînt à elle et, de temps à autre, maudissant Nash, qui se trouvait près de moi.

— Comment savez-vous qu'elle reviendra à elle?... Je vous le répète, c'était un trop gros risque à courir !

Nash se montrait très rassurant.

— Je vous dis que c'est simplement un soporifique versé dans le lait qu'elle boit chaque soir, avant de se coucher. Il ne peut pas s'agir d'autre chose. Symmington, c'est l'évidence même, ne pouvait pas s'offrir le luxe de l'empoisonner. L'arrestation de miss Griffith l'arrange magnifiquement, mais il ne peut pas se permettre d'avoir une nouvelle mort mystérieuse dans la maison. Il ne lui faut ni mort violente, ni empoisonnement. Ce serait dangereux. Mais qu'une petite fille qui ne peut pas se consoler de la mort de sa maman aille se mettre la tête dans le four à gaz, quoi d'étonnant? Les gens diront qu'elle n'était pas très normale, que la fin tragique de sa mère lui avait donné un choc et tout sera dit !

Je regardai Megan, toujours endormie.

— Vous ne trouvez pas qu'elle ne se réveille pas vite?

— Vous avez entendu ce qu'a dit Griffith? Le cœur et le pouls sont parfaits. Il n'y a qu'à attendre.

Megan fut secouée d'un frisson. Elle murmura quelque chose. Discrètement, le commissaire s'éclipsa.

Elle ouvrait les yeux.

— Jerry !

— Chérie !

— Ai-je bien joué mon rôle?

— Comme si vous aviez fait du chantage depuis le berceau !

Ses paupières se refermèrent.

— Hier soir, dit-elle, je vous ai écrit… pour le cas où les choses auraient mal tourné. Mais j'avais tellement sommeil que je n'ai pas fini ma lettre. Elle est là, dans mon sous-main…

J'allai la prendre.

Je revins m'asseoir auprès de Megan pour la lire :

Mon Jerry aimé,

Je viens de reprendre mon petit Shakespeare d'écolière et j'ai relu le sonnet qui commence ainsi :

« Tu es à mes pensées comme la nourriture à la
[vie…
« Ou comme l'ondée bienfaisante à la terre… »

et je m'aperçois que je vous aime, car c'est bien là ce que je pense…

CHAPITRE XIV

I

— Vous voyez qu'en fin de compte, dit Mrs. Dane Calthrop, j'ai eu raison d'appeler à la rescousse cet expert dont je vous avais parlé !

Je la regardai, très surpris. Nous étions dans son salon. Dehors, il pleuvait à torrents et le feu de sarments qui brûlait dans la grande cheminée était fort agréable.

— Vous l'avez donc fait venir? demandai-je. Mais qui est-ce? Et qu'a-t-il fait?

— J'ai dit « un expert », répondit Mrs. Dane Calthrop, mais ce n'est pas un homme. C'est une dame !

D'un geste qui balayait l'espace, elle montrait miss Marple, dont les doigts agiles s'activaient sur un nouvel ouvrage. Au crochet, cette fois.

— Oui, poursuivait Mrs. Dane Calthrop, l'expert, c'était miss Marple. Jane Marple ! Regardez-la bien ! Toutes les formes de la méchanceté humaine, elle les connaît !

— C'est beaucoup dire !

— Du tout ! C'est la vérité vraie !

— Il faut avouer, reconnut miss Marple, qu'on apprend bien des choses sur la nature humaine quand on vit dans un petit village d'un bout de l'année à l'autre !

Sur quoi, paraissant croire que c'était ce qu'on attendait d'elle, elle posa son crochet et nous fit, sur le crime et les criminels, une curieuse causerie.

— L'important, quand on étudie une affaire, dit-elle, est de l'examiner sans idée préconçue. La plupart des crimes sont fort simples. C'était le cas de celui-ci. Il était clair, logique, très compréhensible. Horrible aussi, bien entendu !

— Odieux !

— La vérité sautait aux yeux. Vous savez, monsieur Burton, que *vous l'avez très bien sentie ?*

— Moi ?

— Mais oui ! Vous m'avez tout dit ! Vous aviez parfaitement perçu les relations existant entre les différents éléments de l'affaire et vous avez simplement manqué de confiance en vous. Vous n'avez pas osé interpréter ce que vous ressentiez. Par exemple, cette phrase qui vous exaspérait : « Pas de fumée sans feu ! » Elle vous agaçait, mais vous l'aviez très correctement cataloguée, étiquetée : un écran de fumée. C'est bien ça ! Elle trompait tout le monde. On regardait ailleurs. On s'occupait des lettres anonymes. Mais, justement, *il n'y avait pas de lettres anonymes !*

— Ma chère miss Marple, permettez-moi de soutenir le contraire : j'en ai reçu une !

— Je sais, mais ce n'était pas vraiment des lettres anonymes ! Notre chère amie Maud, ici présente, l'avait bien deviné. Même dans une petite ville calme comme Lymstock, il y a quantités de scandales et je puis vous assurer que les femmes du pays les connaissent tous et qu'elles savent ce qu'il convient d'en dire. Si une femme avait écrit ces lettres, je vous jure bien qu'elle aurait parlé de scandales réels, existants, vrais. Un homme s'intéresse moins aux ragots qui circulent. Surtout un homme tel que Mr. Symmington, assez distant et très pris par ses affaires. Croyez-moi, si ces lettres avaient été de vraies lettres anonymes, écrites par une femme, elles auraient été beaucoup plus précises.

« Si donc, nous négligeons la fumée, c'est-à-dire les lettres, pour nous occuper du feu, nous nous trouvons en présence des faits réels. Les faits, c'est trop dire. Il n'y en a qu'un : Mrs. Symmington est morte.

« Il est naturel de se demander qui avait intérêt à la mort de Mrs. Symmington. Dans un cas comme celui-là, la première personne à qui l'on pense, j'en ai peur, *c'est le mari*. A-t-il une raison, un mobile de souhaiter la mort de sa femme? Et l'on pense, naturellement, à *une autre femme*.

Or, la première chose qu'on me dit, c'est qu'il y a dans la maison une gouvernante, toute jeune et très, très jolie. C'est clair ! Un homme de tempérament assez ingrat, au cœur assez sec, est marié à une femme maladive et un peu neurasthénique. Survient une jeune fille d'une radieuse beauté...

« Quand les messieurs deviennent amoureux à un certain âge, la maladie est grave et on peut parler de folie. Mr. Symmington, autant que j'aie pu l'établir, n'a jamais été réellement un brave homme. Ses qualités étaient surtout négatives et, cette folie qui s'emparait de lui, il n'a pas su lutter contre elle. Dans une petite ville comme Lymstock, le problème qui se posait à lui ne comportait qu'une solution : Mrs. Symmington devait disparaître. Symmington voulait épouser la gouvernante; d'abord parce que c'est une honnête fille qui n'aurait jamais accepté une situation fausse, dont il ne voulait pas lui-même, ensuite parce qu'il aimait ses enfants et n'avait nullement l'intention de les abandonner. Il voulait tout : sa maison, ses enfants, l'estime de ses concitoyens et Elsie. Pour avoir tout ça, il lui fallait payer le prix : il fallait tuer.

« A mon humble avis, il s'y prit de façon fort habile. Ayant l'expérience des affaires criminelles, il n'ignorait pas que, lorsqu'une femme mariée meurt dans des circonstances suspectes, c'est tout d'abord sur le mari que portent les soupçons. Il savait de même que, lorsqu'il s'agit d'un décès dû à un empoisonnement, une exhumation reste toujours possible. Il décida donc de faire en sorte que la mort de sa femme parût n'être qu'un simple incident dans une autre affaire. Il créa l'auteur fantôme de ces prétendues lettres anonymes et sa grande habileté fut d'*amener la police* à *suspecter une femme*. En quoi elle avait raison. Toutes ces lettres étaient bien des lettres de femme, très adroitement plagiées. Elles s'inspiraient de celles qui avaient été envoyées, l'an dernier, dans un autre comté et d'autres lettres dont le docteur Griffith lui avait parlé. Il prenait ici une phrase, là une expression, il dosait, mélangeait... et la lettre terminée était vraiment d'inspiration féminine, la lettre d'une demi-folle affectée d'un sérieux refoulement.

« Connaissant tous les procédés de détection utilisés par la police — analyse de l'écriture, examen des machines à écrire, etc. — il avait préparé sa campagne de lettres un certain temps à l'avance, tapant toutes ses enveloppes avant de faire don de

sa machine à l'Institut féminin et profita d'un
moment où miss Barton l'avait laissé seul dans son
salon pour arracher quelques pages à un livre bien
choisi. Il est si rare qu'on ouvre un recueil de
sermons !

« Finalement, les lettres anonymes bien en train,
il passe à l'essentiel. Il décide d'agir par un bel
après-midi : la gouvernante et les enfants sont
dehors, ainsi que sa belle-fille, et c'est le jour de
sortie des domestiques. Il ne pouvait pas prévoir
que la petite bonne, Agnès, se querellerait avec son
amoureux et qu'elle reviendrait à la maison.

— Mais *qu'a-t-elle vu,* au juste? demanda
Joanna.

— Je l'ignore. Mais je croirais volontiers qu'elle
n'a rien vu du tout !

— Alors, il l'a tuée pour rien !

— Je pense qu'elle est restée à la fenêtre de
l'office pendant tout l'après-midi, attendant l'arrivée de son amoureux, avec qui elle souhaitait se
réconcilier. Et, quand je dis qu'elle n'a rien vu,
je veux dire qu'*elle n'a vu personne* venir à la
maison, pas plus que le facteur que qui que ce soit
d'autre. Comme la pauvre fille n'était pas d'esprit
très vif, il lui a fallu un certain temps pour
comprendre que c'était tout de même assez singulier. Car, en apparence, Mrs. Symmington avait, cet
après-midi-là, reçu une lettre anonyme !

— En avait-elle reçu une? demandai-je.

— Mais certainement pas! Comme je vous l'ai
dit déjà, le crime a été commis très simplement.
Symmington avait mis de l'acide prussique dans le
cachet qu'elle devait prendre ce jour-là, le cachet
qui se trouvait en haut du tube. Il ne lui restait
qu'à revenir à la maison le premier, ou, en tout
cas, en même temps que miss Holland, à appeler

sa femme, à courir à sa chambre, à mettre un peu d'acide prussique dans le verre d'eau dont elle avait bu quelques gorgées pour avaler son cachet, à jeter dans l'âtre la lettre anonyme chiffonnée et à placer dans la main de sa femme morte un morceau de papier sur lequel étaient écrits les mots : « Ce n'est plus possible ! »

Miss Marple se tourna vers moi.

— Là encore, poursuivit-elle, vous aviez vu juste ! Ce morceau de papier était quelque chose d'inadmissible. Les gens qui se donnent la mort n'écrivent pas leur dernier message sur des bouts de papier. Ils prennent *une feuille*... Et, la plupart du temps, ils la glissent dans une enveloppe. Ce bout de papier avait quelque chose de choquant et vous l'aviez bien senti !

— Je vous assure, dis-je, que vous faites trop largement crédit à mes facultés. Ce morceau de papier ne m'avait rien suggéré !

— Ne croyez pas ça, monsieur Burton ! Sinon, pourquoi le message laissé par votre sœur près du téléphone a-t-il fait sur vous une si profonde impression ?

— « Si Griffith téléphone, *ce n'est plus possible* mardi ! » dis-je lentement. Les mêmes mots !

Miss Marple me gratifia d'un petit salut.

— Vous y êtes, monsieur Burton ! Mr. Symmington est tombé, un jour, sur une note conçue dans les mêmes termes et il a entrevu immédiatement tout le parti qu'il pouvait en tirer. Il a déchiré le morceau de papier pour l'utiliser le moment venu. Sa femme laisserait un ultime message écrit de sa propre main !

— Mes... qualités exceptionnelles, demandai-je, se sont-elles encore révélées d'autre manière ?

Miss Marple sourit.

— Vous m'avez mise sur la voie. Vous avez assemblé des faits dans leur ordre logique et, pour finir, vous m'avez dit la chose la plus importante, vous m'avez révélé que miss Holland n'avait pas reçu de lettres !

— Hier soir, l'idée m'était venue que c'était elle qui les envoyait et que c'était la raison pour laquelle elle n'en avait pas reçu?

Miss Marple secoua la tête.

— Non, les auteurs de lettres anonymes ne manquent jamais de s'en envoyer à eux-mêmes. J'imagine que cela leur apporte quelque satisfaction supplémentaire. Le fait que miss Holland n'ait point figuré au nombre des destinataires des lettres m'intéressait énormément parce qu'il me donnait la plus précieuse des indications. Ce fut là, de la part de Mr. Symmington, une faiblesse et sa seule erreur. Il n'a pas pu se décider à écrire une lettre d'injures à la femme qu'il aimait. C'est un trait curieux de psychologie. Un bon point pour lui, mais la faute qui l'a perdu.

— Mais, demanda Joanna, il a aussi tué Agnès. Etait-ce nécessaire?

— Peut-être, répondit miss Marple. Ce dont vous ne vous rendez pas compte, ma chère, et cela parce que vous n'avez jamais tué personne, c'est qu'après un premier crime l'assassin cesse de juger sainement et d'apprécier les faits à leur importance réelle. Symmington a certainement entendu Agnès téléphoner à Mary. Elle disait que quelque chose la tracassait depuis la mort de sa patronne, qu'il y avait quelque chose qu'elle ne comprenait pas. Il a compris qu'il courait un risque. Cette petite sotte avait vu quelque chose, elle savait *quelque chose*...

— Mais quand l'a-t-il tuée? Il n'a, paraît-il pas quitté son bureau de tout l'après-midi...

— Il l'a probablement assassinée avant de se mettre à l'étude. Miss Holland était dans la salle à manger et dans la cuisine. Il va dans le vestibule, ouvre la porte d'entrée et la referme, pour faire croire qu'il est sorti, et va se cacher dans le petit vestiaire. Bientôt, Agnès est seule dans la maison. Il va sonner à la porte d'entrée, regagne vivement sa cachette et, au moment où elle va ouvrir, la surprend par-derrière et l'assomme. Il la tue, jette le corps dans le placard et se hâte vers son étude, où il arrivera simplement un peu en retard. Nul, d'ailleurs, ne s'en est aperçu. Un peu, sans doute, parce que *ce n'était pas un homme qu'on soupçonnait.*

— Quelle horrible brute ! s'écria Mrs. Dane Calthrop.

— Vous ne le plaignez pas? demandai-je.

— Non. Pourquoi?

— Pour rien ! dis-je. Mais vous m'en voyez très content !

— Reste Aimée Griffith, fit remarquer Joanna. Je sais que la police a découvert le pilon volé à Owen dans son laboratoire et qu'elle a aussi retrouvé la broche. Il ne doit pas être tellement facile à un homme de reporter des choses dans les armoires de la cuisine. Ces deux objets, savez-vous où ils étaient? Le commissaire Nash me l'a appris tout à l'heure. A l'étude, dans un vieux cartonnier poussiéreux, portant la mention : « Succession de « sir Jasper Harrington-West ».

— Pauvre Jasper ! fit Mrs. Dane Calthrop. C'était un cousin à moi. Ça lui aurait donné un coup !

— N'était-il pas bien imprudent de garder là ces preuves compromettantes?

— Sans doute, dit miss Marple. Mais il aurait été encore plus imprudent de s'en débarrasser.

N'oubliez pas qu'on ne soupçonnait pas Symmington !

— D'ailleurs, reprit Joanna, ce n'est pas avec le pilon qu'il a frappé Agnès, mais avec un lourd poids d'horloge. On l'a retrouvé, taché de sang, dans le même cartonnier. Nash pense qu'il a volé le pilon le jour de l'arrestation d'Aimée et qu'il a, le même jour, caché chez elle les pages du livre. Ce qui me ramène à ma question de tout à l'heure. Que devient, dans tout cela, Aimée Griffith ? La police l'a vue tandis qu'elle écrivait cette lettre…

— *Cette lettre-là,* dit miss Marple, elle l'a écrite ! C'est incontestable !

— Mais pourquoi ?

— Mon Dieu, ma chère amie, vous ne vous êtes pas aperçue que, toute sa vie, Aimée Griffith a été amoureuse de Symmington ?

— Pauvre femme ! murmura Mrs. Dane Calthrop.

Miss Marple poursuivit :

— Ils avaient toujours été bons amis et je pense qu'à la mort de Mrs. Symmington Aimée s'est dit qu'un jour… peut-être…

Elle toussa discrètement et, laissant sa phrase inachevée, continua :

— Et puis, on a commencé dans le pays à parler des ambitions d'Elsie Holland. Aimée, a été ulcérée. Elle a vu dans miss Holland une intrigante qui allait lui voler l'affection d'un homme dont elle n'était pas digne… et elle a fini par succomber à la tentation. Pourquoi n'ajouterait-elle pas, à toutes les autres, une lettre anonyme qui ferait peur à Elsie et la déciderait à quitter la place ? La chose lui paraissait sans risque et elle pensait avoir pris toutes les précautions.

— Alors ?

— Alors, reprit miss Marple, il est probable que lorsque cette lettre lui est parvenue, Elsie l'a montrée à Symmington, qui a tout de suite deviné qui l'avait écrite et compris les possibilités qui s'offraient à lui d'en finir une fois pour toutes avec l'affaire, en s'assurant l'impunité. Certes, ce n'était pas très délicat... Mais l'homme avait peur. Il savait que la police ne renoncerait pas et qu'elle finirait par trouver l'auteur des lettres. Lorsque Nash, à qui il avait porté la lettre, lui eut dit qu'Aimée avait été vue l'écrivant, il s'est dit qu'une occasion pareille ne se retrouverait pas deux fois.

« Il a emmené toute sa petite famille prendre le thé chez miss Griffith. Il arrivait directement de l'étude, portant sous le bras sa serviette, qui contenait les pages arrachées au livre. Il s'arrangea pour les cacher dans le placard qui se trouve sous l'escalier. Une idée heureuse, parce que la cachette rappelait celle où l'on avait trouvé le cadavre de la petite bonne et parce qu'il était bien sûr que ce serait un des premiers coins visités par la police lorsqu'elle perquisitionnerait.

— Miss Marple, dis-je, il y a une chose, malgré tout, que je ne puis vous pardonner : c'est le rôle dangereux que vous avez fait jouer à Megan !

La vieille demoiselle posa dans son giron son ouvrage, qu'elle venait de reprendre, et, me regardant de ses yeux clairs par-dessus ses lunettes, répondit :

— Jeune homme, *il fallait faire quelque chose* ! L'assassin était très fort et sans scrupules. Il n'y avait contre lui aucune preuve. J'avais besoin de quelqu'un pour m'aider et il me fallait quelqu'un qui eût du courage et de l'intelligence. Ce quelqu'un, je l'ai trouvé !

— Mais, pour elle, le danger était considérable!

— Oui, c'était dangereux, mais nous ne sommes pas sur terre, monsieur Burton, pour fuir le danger quand il s'agit de sauver la vie d'un de nos semblables qui est innocent. Vous me comprenez?

J'avais compris.

CHAPITRE XV

High Street, le matin.

Miss Emily Barton sort de l'épicerie, avec son filet à provisions. Ses joues sont roses, elle a les yeux brillants.

— Mon cher monsieur Burton, s'écrie-t-elle, je ne tiens plus en place ! Pensez donc ! Je vais faire une croisière !

— J'espère que vous vous amuserez bien !

— Mais j'en suis sûre ! Je n'aurais jamais osé partir toute seule et voilà que les choses se sont arrangées comme si la Providence s'en était occupée ! Il y avait longtemps que mes moyens ne me permettaient plus de garder « Little Furze », je m'en rendais bien compte, mais je ne voulais pas voir passer la maison dans des mains étrangères. Vous l'achetez et vous allez vivre avec Megan ! C'est tout autre chose ! Là-dessus, Aimée, sortant de cette terrible épreuve et ne sachant trop que faire, puisque son frère se marie... — vous ne pouvez pas savoir ce que je suis contente de savoir

que vous allez *tous les deux* vous établir ici ! —
... Aimée, donc accepte de venir avec moi ! Nous
serons absentes très longtemps et il se peut même...

Elle baissa la voix.

— Il se peut même que nous fassions le tour
du monde ! Avec Aimée, qui sait si bien se dé-
brouiller, ce sera splendide ! Vous ne trouvez pas
que tout ça finit vraiment bien, vraiment pour le
mieux ?

L'espace d'une seconde, je songeai à Mrs. Symmington et à Agnès Woddel, toutes deux couchées
dans le petit cimetière de Lymstock, me demandant si elles seraient de cet avis, puis je me souvins
que l'amoureux d'Agnès la délaissait, que Mrs. Symmington n'était pas gentille pour Megan et que
nous étions tous destinés à mourir un jour. Ce
pourquoi j'affirmai à la charmante miss Emily que
tout était pour le mieux dans le meilleur des
mondes possible.

Comme j'approchais de la grille de la maison
Symmington, Megan sortait, venant à ma rencontre.

Elle était précédée d'un énorme chien de berger
qui, dans ses excessives démonstrations d'amitié,
faillit me renverser

— N'est-ce pas qu'il est adorable? dit Megan.

— Un peu trop enthousiaste, peut-être. Il est
à nous ?

— Oui. C'est le cadeau de mariage que nous
fait Joanna. Ah ! on nous aura gâtés ! Cette belle
chose en laine que miss Marple nous a donnée et
dont on ne sait pas ce que c'est, le service à thé de
la manufacture royale de Derby, offert par Mr. Pye,
un porte-toasts qui nous vient d'Elsie...

— C'est bien d'elle !

— Il paraît qu'elle a maintenant un poste chez

un dentiste et qu'elle est très contente... Où en étais-je?

— Vous énumériez les cadeaux que nous recevons à l'occasion de notre mariage. Il faut faire bien attention, car si vous changez d'avis, il faudra les renvoyer !

— Je ne changerai pas d'avis. Qu'est-ce qu'il y a encore? Ah! Mrs. Dane Calthrop nous a envoyé un scarabée égyptien.

— C'est une femme originale !

— Attendez! Vous ne savez pas le plus beau ! Mary m'a envoyé un cadeau : la plus vilaine nappe à thé que j'aie jamais vue ! Seulement, je lui pardonne, parce que je crois bien que, maintenant, elle m'aime : cette nappe, il paraît que c'est elle qui l'a brodée...

— Chardons et raisins verts !

— Non ! Des lacs d'amour !

— Oh ! oh ! Elle se fait notre Mary !

Megan m'entraîna dans la maison.

— Il n'y a qu'une chose que je ne m'explique pas. Le chien avait son collier et sa laisse, mais Joanna nous envoie, par paquet séparé, un second collier et une seconde laisse. Qu'est-ce que ça signifie?

— Ça, dis-je, c'est une petite plaisanterie à la manière de Joanna ! Je vous expliquerai...

FIN

Collection CLUB DES MASQUES :
envoi du catalogue complet sur demande.

IMPRIMÉ EN FRANCE PAR BRODARD ET TAUPIN
6, place d'Alleray - Paris.
Usine de La Flèche, le 11-07-1974.
1687-5 - Dépôt légal 3ᵉ trimestre 1974.
ISBN : 2 - 7024 - 0050 - 7